ASSMANN/BURKERT/STOLZ · MYTHOS

ORBIS BIBLICUS ET ORIENTALIS

Im Auftrag des Biblischen Institutes der Universität
Freiburg Schweiz
und des Seminars für biblische Zeitgeschichte
der Universität Münster
herausgegeben von
Othmar Keel,
unter Mitarbeit von Bernard Trémel und Erich Zenger

ORBIS BIBLICUS ET ORIENTALIS   48

JAN ASSMANN/WALTER BURKERT
FRITZ STOLZ

FUNKTIONEN
UND LEISTUNGEN
DES MYTHOS

Drei altorientalische Beispiele

UNIVERSITÄTSVERLAG FREIBURG SCHWEIZ
VANDENHOECK & RUPRECHT GÖTTINGEN
1982

CIP-Kurztitelaufnahme der Deutschen Bibliothek

Funktionen und Leistungen des Mythos: 3 altoriental.
Beispiele / Jan Assmann; Walter Burkert; Fritz Stolz.
Freiburg Schweiz: Universitätsverlag;
Göttingen: Vandenhoeck und Ruprecht, 1982.

(Orbis biblicus et orientalis; 48)
ISBN 3-7278-0268-5 (Universitätsverlag)
ISBN 3-525-53668-2 (Vandenhoeck und Ruprecht)

NE: Assmann, Jan [Mitverf.]; Burkert, Walter
[Mitverf.]; Stolz, Fritz [Mitverf.]

Publiziert mit der Unterstützung
der Schweizerischen Geisteswissenschaftlichen Gesellschaft

INHALTSVERZEICHNIS

Einführung

Es steht ausser Zweifel, dass der Mythos einen zentralen Gegenstand religionswissenschaftlicher Forschung bildet; aber ebenso deutlich ist es, dass in der genaueren Bestimmung von Wesen und Funktion dieses Gegenstandes keinerlei Einigkeit herrscht. Ein kurzer Blick auf Mythos-Definitionen in verschiedenen Lehrbüchern oder Lexika zeigt dies sehr schnell.

Nicht nur die einzelnen inhaltlichen Ausarbeitungen zum Thema "Mythos" zeichnen sich durch tiefgreifende Unterschiede untereinander aus, sondern bereits die Weisen der Annäherung an den Gegenstand. Die Diskussion bewegt sich in unterschiedlichen Bahnen; es ist nicht möglich, eine eindeutige Tendenz in der Diskussionslage der letzten Jahrzehnte auszumachen, und es wäre vermessen, einen bestimmten Gesichtspunkt als den einzig verbindlichen zu bestimmen. Immerhin mag es hilfreich sein, sich unterschiedliche Zugänge zum Phänomen des Mythos kurz zu vergegenwärtigen, um von da aus den Ort der nachfolgenden Arbeiten bestimmen zu können.

Ein Typus von - in sich ganz unterschiedlichen - Zugängen zum Mythos zeichnet sich durch Theorien mit universellem Geltungsanspruch aus. Um an einige Beispiele zu erinnern: Die "Naturmythologie", die im letzten Jahrhundert das Feld beherrschte, sah im Mythos nichts anderes als die poetische Verdichtung von Naturphänomenen, deren Dynamik sich im Erzählgeschehen von Mythen niederschlug; tiefenpsychologische Mythentheorien unseres Jahrhunderts entdeckten in den Mythen Belege für die in der analytischen Arbeit mit Patienten erhobenen seelischen Grundkonstellationen und -vorgänge; eine grosse Gruppe von Forschern (z.B. diejenigen, die der Myth- and Ritual-"Schule" zuzurechnen sind) wollte den Mythen ihren eigentlichen Ort nur im Zusammenhang mit rituellen Vorgängen zuweisen und fragte entsprechend stets nach dem Zusammenhang von heiligem Wort und heiliger Handlung usw. In der Gegenwart scheint die durch C. Lévi-Strauss in Gang gesetzte strukturalistische Betrachtung der Mythen auch im deutschen Sprachbereich zunehmend an Faszination zu gewinnen, nachdem sie im französischsprachigen Raum bereits zur dominierenden Fragestellung geworden ist.

Die Kritik an solchen universelle Gültigkeit beanspruchenden Mythostheorien argumentiert in der Regel von religionsgeschichtlicher Einzelarbeit her: Es werden dann stets diese oder jene Mythen dazu benutzt, um die zu kritisierende Theorie zu falsifizieren. Häufig ist diese Kritik in der Weise prinzipiell, dass auf eine allgemeine Mythos-Theorie überhaupt verzichtet wird: Ein Mythos wird nur innerhalb seines eigenen Kontextes betrachtet und

interpretiert, bestenfalls im Vergleich mit Mythen desselben historischen
und kulturellen Raumes. Damit zeigt sich ein zweiter, ganz an der historischen Analyse orientierter Typus der Annäherung an den Mythos. Freilich darf
nicht übersehen werden, dass auch solche Arbeit an einem beschränkten historischen Bereich - mindestens implizit - mit einem beträchtlichen Mass an vor-
gegebener Mythos-Theorie vorgeht, indem sie bestimmte Fragestellungen zur
Anwendung bringt; allein schon die Tatsache, dass eine bestimmte Erzählung
als "Mythos" qualifiziert wird, setzt einen auch ausserhalb dieses historischen Zusammenhangs angewendeten und anwendbaren Begriff des Mythos voraus.

Sinnvollerweise werden die Arbeit, welche primär an einem universelle
Gültigkeit beanspruchenden Mythosbegriff orientiert ist, und die zunächst
einzelne Mythen und deren Kontext untersuchende religionshistorische Forschung in einen kritischen Austausch gebracht werden müssen: Die allgemeinen
Mythostheorien sind auf ihre tatsächliche Tragfähigkeit am historischen Ein-
zelbeispiel hin zu befragen; die historische Einzelarbeit dagegen ist auf
ihre Fragestellungen hin zu untersuchen, wobei dann sinnvollerweise diese
Fragestellungen auch an andere Mythen angelegt werden.

Innerhalb dieses Problemfeldes also sind die drei Aufsätze angesiedelt,
die im folgenden abgedruckt sind. Ursprünglich handelte es sich um Kurz-
vorträge, welche im Rahmen einer Tagung der Schweizerischen Gesellschaft für
Orientalische Altertumsforschung am 21. Juni 1980 in Zürich gehalten wurden.
Die Referenten hatten die Aufgabe, je von ihrem Fachgebiet aus einen Mythos
vorzustellen. Man wollte also von der konkreten historischen Arbeit an einzelnen Mythen Schritte in Richtung auf eine das Historische übergreifende
Beschreibung des Mythischen unternehmen.

Die Lektüre der drei Arbeiten macht ganz deutlich, dass sich die verschiedenen Ansätze keineswegs zu einem Gesamtbild zusammenfügen. Wohl aber
zeigen sich mannigfache Berührungspunkte, wenn etwa die Fragen nach der
Eigenart und Leistung des Mythos als einer Erzählung, oder die nach dem Zusammenhang zwischen Bild und Erzählung gestellt werden usw. Alle drei Arbeiten versuchen ferner, die vorausgehenden Fragestellungen und deren theore-
tische Implikationen in der Arbeit an den Texten möglichst weitgehend deutlich zu machen; und schliesslich bedeutet in allen drei Fällen die Konzentra-
tion auf einen Mythos nicht ein völliges Absehen von Funktions- und Bedeu-
tungsmöglichkeiten anderer Mythen, im Gegenteil: Immer wieder findet sich
der Versuch, die Interpretation der einzelnen Mythen im Kontext zu anderen
Mythen der gleichen Kultur oder zum Ort des Mythos in benachbarten Kulturen

zu erarbeiten.

Bereits die Diskussion im Rahmen der Tagung, in der die drei Vorträge gehalten wurden, machte einige Richtungen deutlich, in die weiter gefragt werden kann; ich greife davon zwei heraus.

Ein religionsgeographisch im Hinblick auf den Mythos besonders problematischer Raum ist das alte Israel. Während sich die Religionshistoriker darüber einig sind, dass der Mythos in den Nachbarkulturen Israels eine mehr oder weniger bedeutsame Rolle spielt, ist es unter den biblischen Exegeten umstritten, ob für Altisrael mit Mythen zu rechnen sei. Auffälligerweise urteilt die deutschsprachige Forschung in dieser Hinsicht fast durchwegs negativ, während andernorts häufig ganz selbstverständlich zu hören ist, dass auch das alte Israel den Mythos gekannt habe und dieser im Alten Testament dokumentiert sei. In dieser Uneinigkeit zeigt sich gewiss zunächst eine unterschiedliche Anwendung des Mythos-Begriffs; aber darüber hinaus werden wohl auch theologiegeschichtlich bedingte Vorentscheidungen deutlich, die auf der einen Seite die Einbettung der Religion Israels in die allgemeine Religionsgeschichte, auf der anderen Seite den unüberbrückbaren Unterschied zwischen dem Glauben Israels und den Weisen der Verehrung Gottes in der umgebenden Welt des alten Orients betonen.

Es sind hauptsächlich zwei Sachkomplexe, in welchen eine Unverträglichkeit des Mythos mit der biblischen Weltdeutung festgestellt wird. Zum einen wird der Unterscheidung zwischen mythischem und biblischem Erzählen gern diejenige zwischen Natur und Geschichte zugeordnet: Während der Mythos am Natürlich-Unveränderlichen orientiert sei und entsprechend alles Geschichtlich-Einmalige in seine Zeitkategorie des Wiederkehrenden und Ewigen umsetze, sei biblisches Erzählen gerade am Einmaligen und Unverwechselbaren interessiert.

Schon die Analyse der drei Mythen, die sich im folgenden findet, macht deutlich, dass sich "das Mythische" nicht in dieser Weise dem Thema "Natur" zuordnen lässt, und dass die Kategorien zeitlicher Erfahrung, die es impliziert, sich nicht einfach auf den Nenner des Zyklischen bringen lassen, sondern dass die einzelnen Mythen ein im einzelnen unterschiedliches, aber in jedem Fall höchst differenziertes Zusammenspiel von Faktoren, die wir einerseits als natürlich, andererseits als historisch-kulturell bezeichnen würden, als für die Wirklichkeit bestimmend darstellen. Dass der Mythos grundsätzlich nichts mit geschichtlichen Vorgängen zu tun hätte, ist jedenfalls unrichtig.

Doch auch die Zuordnung alttestamentlichen Erzählens zum Bereich der Geschichte und der zeitlichen Kategorie des Einmaligen wäre einer genaueren und differenzierenden Prüfung zu unterziehen. So wäre etwa zu fragen, was für ein Verständnis von Geschichte vorliegt, wenn etwa das Richterbuch einen Geschehensablauf als Zyklus von guten und bösen Zeiten (natürlich theologisch interpretiert) darstellt, oder wenn (wie weithin in der Deuteronimistik) die Geschichte nichts anderes als eine Folie abgibt, vor der die Gegenwart in deutlicherem Licht erscheint, ohne dass ihr aber eine darüber hinausgehende Qualität im Sinne einer Unverwechselbarkeit zukäme.

Besonders wichtig für den Zusammenhang zwischen alttestamentlichem Erzählen und dem mythischen Reden der Umwelt Israels wäre wohl die Klärung der Frage, wie das Verhältnis zwischen der Sage, einem in Israel geläufigen Vehikel theologischen Redens, und dem Mythos zu bestimmen ist. Gelingt es, in den Nachbarkulturen Israels sinnvolle Unterscheidungsmerkmale zwischen dem Mythos und der Sage herauszuarbeiten? Was ergibt sich von einer derartigen Differenzierung her für das Erzählgut Israels? Ist auch in ferner liegenden Kulturen, ist sogar generell eine feste Abgrenzung zwischen Mythos und Sage (und weiteren Formen traditionellen Erzählens, etwa dem Märchen) zu treffen? An dieser Stelle wäre wohl manche Detailarbeit fällig.

Noch ein zweiter Grund wird als antimythisches Moment israelitischer Religion geltend gemacht: der Monotheismus (oder, vorsichtiger ausgedrückt: die Ausschliesslichkeitsforderung Jahwes Israel gegenüber). Jahwe kann - so lautet die Argumentation, auf eine Kurzformel gebracht - gar nicht in einer "Göttergeschichte" unter seinesgleichen agieren, weil er nicht seinesgleichen hat; sein ausschliessliches Gegenüber ist das Volk Israel, wie dieses umgekehrt ernstlich nur mit dem einen Gott Jahwe befasst sein soll.

Aber auch diese pauschale Unterscheidung zwischen einem antimythischen Israel und einer mythischen Umwelt Israels ist zu hinterfragen. Denn einerseits ist die Altersbestimmung des israelitischen Monotheismus und dessen Vorformen durchaus offen, und andererseits spielen auch viele Mythen ausserhalb Israels nicht ausschliesslich auf der Ebene der Götter, sondern beziehen die Menschenwelt mit ein.

All dies zeigt, dass die Probleme um altorientalisch-mythische bzw. biblische Weisen, von Gott und Göttern zu erzählen, keineswegs ausreichend bearbeitet sind. Zur weiteren Klärung könnten die vorliegenden Arbeiten einige Hinweise enthalten.

Natürlich sind die hier verhandelten Probleme nicht nur in andere histo-
risch-geographische Räume hinein weiter zu verfolgen, sondern auch in Richtung auf eine generelle Beschreibung des Mythos. Bekanntlich ist auch im Hinblick auf die Gegenwart von Mythen die Rede - man denke an Schlagworte wie
"Mythos Mann", "Mythos der Maschine" usw. Derartige "Mythen" sind nicht mehr
an den Vorgang des Erzählens gebunden, vielmehr stellen sie Bedeutungs-,
Sinn- und Wertkomplexe dar, die sich nicht völlig in begrifflich abgrenzbare
Sprache fassen, sondern die darüber hinaus mit Bildern und Vorstellungen besetzt sind, die tief im emotionalen Bereich verwurzelt sind. Mit solchen
"Mythen" sind stets Wertsysteme verbunden, die naturgemäss umstritten sind.
Darüber hinaus ist ja in jüngster Zeit intensiv diskutiert worden, ob "der
Mythos" (was immer darunter zu verstehen sei) rational aufgeklärt, "entmytho-
logisiert", entmächtigt - oder aber in seiner Geltung akzeptiert und wieder
zur Erscheinung gebracht werden müsse (man denke an Aeusserungen aus dem Bereich der komplexen Psychologie).

Gibt es eine Kontinuität zwischen dem erzählten Mythos, wie er uns aus
der Antike und, im Raume schriftloser Kulturen, bis in die Gegenwart hinein
bekannt ist, und den viel weniger scharf fassbaren Gestalten des "Mythos"
der Gegenwart? Man müsste dann auf eine "mythische Sprache", ein "mythisches
Denken" oder dergleichen rekurrieren. Es fehlt nicht an Ansätzen, welche
"das Mythische" in diesem Sinne zu erheben suchen, sei es in einer Unterscheidung zwischen begrifflich abgrenzender und metaphorisch eröffnender
Sprache, zwischen rational definierendem und assoziierendem Denken und was
analoger Differenzierungen mehr sind. Solche Ansätze wären natürlich wiederum am historischen Einzelfall auf ihre Tragfähigkeit hin zu untersuchen; es
wäre reizvoll, die hier vorgelegten Arbeiten darauf hin zu befragen, ob sie
(und womöglich in analoger Weise) ein die mythische Erzählung begleitendes
"mythisches Denken" namhaft machen, und ob sich dieses auch in "Mythen der
Gegenwart" manifestiert.

Gewiss gäbe es viele weitere Aspekte zu nennen, unter denen das Thema
"Mythos" weiter verfolgt werden könnte. Regen die folgenden Aufsätze die
Diskussion in dieser oder jener Weise an, so haben sie ihre Aufgabe erfüllt.

Fritz Stolz

Jan Assmann

DIE ZEUGUNG DES SOHNES
Bild, Spiel, Erzählung und das Problem des ägyptischen Mythos.

> Mein Sohn bist du; heute habe ich
> dich gezeugt
>
> Ps 2,7

Die Frage nach dem Mythos, die auf den theoretischen Ebenen der Philosophie und der strukturalen Anthropologie seit Jahrzehnten eine nicht nachlassende Aktualität besitzt (1), stellt sich mit neuer Dringlichkeit auch dem Philologen (2). Sie trifft dort, in den Einzelphilologien, nicht immer in gleicher Weise unmittelbar auf respondierende Befunde. Mesopotamien, Ugarit, Kleinasien und Griechenland zum Beispiel bieten sehr günstige Bedingungen. Israel ist ein bekanntes Gegenbeispiel, dessen monotheistische Religion eine entschiedene Gegenposition zum Mythos einnimmt. Aus ganz anderen Gründen dürfte die Frage nach dem Mythos aber zum Beispiel auch in Rom auf Probleme stossen. Zu diesen Problemfällen gehört, aus wiederum spezifischen und noch keineswegs aufgedeckten Gründen, das alte Aegypten.

In Aegypten gehört die mythische Erzählung nicht zu den gewöhnlichen und typischen Ausdrucksformen der religiösen Ueberlieferung. Die wenigen Exemplare, die auf uns gekommen sind (3), stehen mehr am Rande und haben Ausnahmecharakter (4). Für diese "Verborgenheit" des Mythos in Aegypten (5) ist nichts kennzeichnender als der Fall des Osiris-Mythos. Obwohl dieser Mythos wahrscheinlich schon in verhältnismässig früher Zeit die Form einer kohärenten Erzählung gewinnt (6) und bald, spätestens mit dem Uebergang zum 2. Jt.v.Chr., alle anderen Ueberlieferungen an Strahlkraft und Bedeutung weit überragt, muss man doch auf Diodor und Plutarch warten, um einigermassen umfassende Aufzeichnungen dieses Mythos zu erhalten. Diodor und Plutarch stehen der ägyptischen Kultur "extrakommunikativ" gegenüber, sie beschreiben sie von aussen und für ein nicht-ägyptisches Publikum. Diese distanzierte Perspektive fordert und ermöglicht die explizite narrative Entfaltung von etwas, das uns in den Aufzeichnungsformen der ihm eigentümlichen Kommunikationsgemeinschaft immer nur ausschnitthaft entgegentritt.

Die Deutung drängt sich auf, dass dieser Mythos innerhalb der ägyptischen Kultur seinen eigentlichen Ort in der mündlichen Ueberlieferung hatte. Der Osirishymnus Ramses'IV. unterscheidet ja explizit zwischen dem, was "in den

Schriften steht" und dem, was man "von Mund zu Mund erzählt", wobei sich, wie der Zusammenhang nahelegt, diese Unterscheidung auf schriftliche Theologie und mündliche Mythologie bezieht (7). In einer seiner inneren Form, der Erzählung, entsprechenden Weise ist der Mythos nur in der mündlichen Ueberlieferung lebendig. Die schriftlichen Aufzeichnungen, die Inschriften und Reliefs der Tempel und Gräber, setzen ihn voraus aber erzählen ihn nicht; sie stehen in je spezifischen Funktionszusammenhängen, in denen der Mythos nur in nicht-narrativer oder jedenfalls stark verkürzter Form zu Wort kommt.

Dieses Modell - Mythos in der mündlichen, Mythos-Transformate in der schriftlichen Ueberlieferung - darf aber nicht unbesehen verallgemeinert werden. In einem früheren Beitrag zum Thema "Mythos in Aegypten" habe ich versucht, wenigstens denkbar zu machen, dass hinter Texten, die augenscheinlich die Sprache des Mythos reden ohne jedoch narrative Zusammenhänge zu entfalten, nicht unbedingt Mythen stehen müssen, sondern so etwas wie vormythische Sinnkomplexe, die sich erst im Laufe der Geschichte fallweise zu ganzen Mythen entfalten. Hierfür habe ich den Terminus "Konstellationen" vorgeschlagen (8). Mit dem Ausdruck "Sprache des Mythos" ist dabei nicht gemeint, dass von Göttern die Rede ist, sondern dass verschiedene Sinn-Dimensionen in eine Beziehung gegenseitiger Verweisung gesetzt werden, jene typisch ägyptische Form, die als "Mythisierung der Rituale" bekannt ist (9), die aber über diesen Spezialfall hinaus eine Grundform religiöser Rede in Aegypten darstellt (10). Die Komplexion der Sinn-Dimensionen leistet nicht erst der Mythos, sondern bereits die Konstellation, z.B. die von (totem) Vater und (lebendem) Sohn, aus der auch der Osirismythos in wesentlichen seiner Aspekte hervorgewachsen ist (11).

Mir ging es dabei vor allem darum, gegenüber der mehr "archäologischen" Fragestellung, die mit der Optik eines vorgegebenen Mythosbegriffs den auf der Oberfläche verborgen bleibenden Mythos aufdecken will, die Interessen der Philologie zur Geltung zu bringen, deren erstes Geschäft die Analyse der Oberfläche ist. Zunächst muss nach dem gefragt werden, was in Erscheinung tritt, bevor man sich eine Vorstellung von dem bilden kann, was verborgen bleibt. Oberfläche: das ist die Spezifität der stilistischen Ausformulierung, in der eine Aufzeichnung im Funktionszusammenhang einer spezifischen Kommunikationssituation einen Sinngehalt zum Ausdruck bringt. Hiervon gilt es in jedem Fall auszugehen.

Demselben Anliegen entspringt auch der folgende Beitrag. Er greift einen Ueberlieferungszusammenhang heraus, der nicht nur in typischer Weise verschiedene Sinn-Dimensionen - Ritus, Götterwelt und Geschichtsbild - miteinander verknüpft, sondern diesen Sinnkomplex teilweise auch narrativ entfaltet. Es handelt sich zudem um einen Stoff, der im Zusammenhang der ägyptischen Kultur ebenso zentral ist wie der Osirismythos, der aber diesem gegenüber den entscheidenden Vorzug hat, uns auf der "Oberfläche", der Ebene der konkreten Ausformung oder, wie ich es in meinem früheren Beitrag genannt habe, der "mythischen Aussage" als eine zusammenhängende Komposition entgegenzutreten. In der spätzeitlichen Fassung als Festritual trägt er den Titel "Geburt des Gottes" (mswt ntr) (12), als "Die Geburt des Gottkönigs" hat Hellmut Brunner seine "Studien zur Ueberlieferung eines altägyptischen Mythos" überschrieben, die sich den Fassungen des Neuen Reichs widmen (13), und unter dem Titel "Die Geburt des Kindes" hat Eduard Norden das Mythologem in einen weit über Aegypten hinausgreifenden religionsgeschichtlichen Horizont gestellt (14). In der Tat steht, wie wir sehen werden, der Geburtsvorgang bei allen Aufzeichnungen im Mittelpunkt. Trotzdem könnte ein Titel wie "Die Zeugung des Sohnes" den Kern des Mythologems noch genauer treffen, selbst wenn es in einer der beiden Fassungen, deren Analyse den Ausgangspunkt bilden soll, um eine Tochter geht.

Wir wollen zunächst den Zyklus betrachten, wie er im unteren Register der Nordhälfte der Mittel-Kollonade in Der-el-Bahri (15) und auf der Westwand von Raum XIII des Luxor-Tempels (16) angebracht ist; Szenen 1-15 der letzeren Fassung sind unserem Beitrag als Abb. beigefügt. Wir wollen dabei aber nicht vergessen, dass sich die Szenen fortsetzen: in Der-el-Bahri - dem Totentempel der Königin Hatschepsut (1488-67) - im Register darüber (17), in Luxor - dem Amuntempel Amenophis' III (1397-1360) - auf der Südwand (18). Der gesamte Zyklus umfasst Geburt, Jugend und Krönung. In Der-el-Bahri zeigen von Szenen des oberen Registers, die man bisher in toto der Jugend und Krönung zugeordnet hatte, zwei die Königin noch als kleines Kind. Nimmt man diese beiden Szenen zum Geburtszyklus hinzu, erhält man eine formal und semantisch wesentlich befriedigendere Komposition. Auf unserer Abb. sind sie in einer Wiedergabe nach Der-el-Bahri als Sz. 16 und 17 den 15 Szenen der Luxor-Fassung angefügt.

Vier Szenen heben sich durch ihre Grösse als besonders bedeutende Schwerpunkte aus dem Zyklus heraus: Nr. 4, die Liebesbegegnung zwischen dem Gott und der Königin und die Zeugung des Thronfolgers; Nr. 9, die Geburt; Nr. 12, die Säugung des Kindes durch göttliche Ammen und Himmelskühe und Nr. 15, die Beschneidung. Um diese 4 Schwerpunkte lassen sich die 17 Szenen folgendermassen gruppieren:

1. Vorspiel

Szene I: Amun und Neunheit. Amun verkündet der Göttergesellschaft seinen Plan, einen neuen König zu zeugen, über den er vier Verheissungen ausspricht: Er, Amun, wird sein Schutz sein und die Weltherrschaft in seine Hände legen; der neue König wird den Göttern Tempel bauen und die Opfer vermehren; Fülle und Fruchtbarkeit werden in seiner Zeit herrschen; wer den König verehrt, soll leben, wer ihn verflucht, soll sterben (19).

Szene II: Amun und Thoth. Amun holt bei Thoth, seinem schriftkundigen Wesir, Erkundigungen ein über eine sterbliche Frau, die sein Wohlgefallen gefunden hat. Er erfährt, dass es sich um die Königin handelt.

Szene III: Amun und Thoth. Thoth führt Amun zur Königin.

2. Zeugung

Szene IV: Amun und Königin. Amun nähert sich der Königin in Gestalt ihres Gatten (Thutmosis I), gibt sich ihr aber dann in seiner wahren Gestalt zu erkennen. Heilige Hochzeit. Aus den Wechselreden des Paares formt Amun den Namen des künftigen Kindes.

Formung im Mutterleib:

Szene V: Amun und Chnum. Amun beauftragt den Menschenbildner Chnum, das Kind und seinen Ka nach dem Ebenbilde seines göttlichen Vaters, d.h. "eines Leibes mit ihm" zu formen.

Szene VI: Chnum, Heket (20), Kind+Ka. Chnum führt den Auftrag aus, im Beisein der Geburtsgöttin.

3. Geburt

Szene VII: Verkündigung. Thoth und Königin. Thoth naht sich der Königin im Verkündigungsgestus und mit einer langen Rede, deren Sinn dunkel ist: "Zufrieden ist Amun... mit deiner grossen Würde einer Erbfürstin, von grosser Anmut und Gunst, Herrin der Herzenssüsse, gross an Lieblichkeit und Liebe, die Horus und Seth sieht, vom Widder geliebt..." usw., eine lange Reihe von Prädikaten und Titeln, die sich vermutlich auf die künftige Mutterschaft der Königin beziehen, und deren Proklamation daher den Sinn einer Verkündigung dieser Mutterschaft haben wird (20a).

Szene VIII: Chnum, Heket und Königin. Die Königin, deren Schwangerschaft im Bilde zart angedeutet ist, wird von der Geburtsgöttin Heket und dem

ABBILDUNGEN

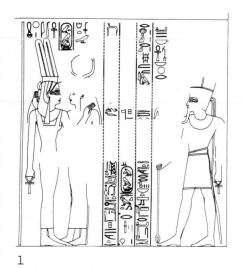

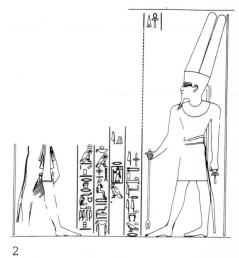

1   2

3

4

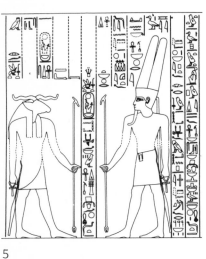

5

6

7

8

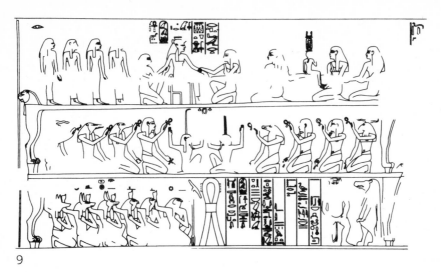

9

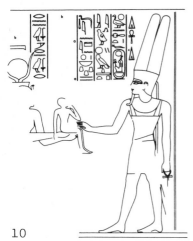

10

11

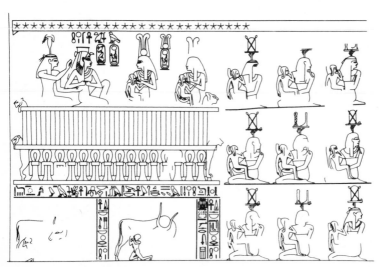

12

13

14

15

16 (Der el Bahri)

17 (Der el Bahri)

Former des Kindes, Chnum, zum Geburtsbett geführt.

Szene IX: die Geburt. Königin mit Kind und zwei anonymen Ammen, Isis
und Nephthys, die Schicksalsgöttin Meschnet mit langer Segensverheissung,
dazu eine Fülle von Schutz-Genien. Die scheinbare Zweistöckigkeit des
Bettes erklärt sich als Missverständnis einer Vorlage vermutlich des
Alten Reichs, als man die Sitz- und Liegefläche von Möbeln in Aufsicht
darstellte. In allen Fassungen bis in die römische Zeit findet sich
diese seltsame Darstellung des Wochenbettes.

4. Säugung

Väterliche Anerkennung.

Nach der Geburt wird dem Vater das Kind gezeigt. Das ist das Thema der
eng zusammengehörenden Szenen 10 und 11.

Szene X: Hathor (sitzend mit Kind) und Amun. Amun kommt, um das Kind
zu sehen, und begrüsst es.

Szene XI: Die Vorigen. Amun (sitzend) nimmt das Kind auf den Schoss
mit den Worten "Willkommen, mein Sohn (var. meine geliebte Tochter)
meines Leibes!"

Szene XII: Säugung. Königin mit Kind, göttliche Ammen, Himmelskühe, Personifikationen der Fülle. Ort: das Wochenzimmer von Szene 9.

5. Beschneidung

Präsentation und Segen.

Szene XIII: Nilgott und Milchgott präsentieren Kind+Ka einer Göttertrias
(Der-el-Bahri). In Luxor Nilgott und "Zauber"; die Trias fehlt (21).

Szene XIV: Thoth (Luxor: Horus) präsentiert Amun Kind+Ka. In der Luxor-
Fassung begrüsst Amun das Kind mit feierlichen Formeln der Anerkennung,
die an Ps 2,7 und Lukas 3,22 erinnern: "Mein geliebter leiblicher Sohn,
den ich eines Leibes mit mir (= mir zum Ebenbilde) gezeugt habe" (22).

Szene XV: Beschneidung. Im Zentrum die eigentliche Beschneidung, Kind+Ka
zweimal übereinander mit ungenannten Gottheiten, von aussen Chnum und
Anubis (von links), Seschat und Heka (?) (23) von rechts. Die Reden
der beteiligten Gottheiten enthalten Segenswünsche, die sich auf Lebensfülle, ewige Dauer und Weltherrschaft beziehen.

6. Schluss (?)

Szene XVI: Reinigung. Amun und ein Sonnengott (Month, Re oder Horus)
übergiessen das Kind mit Lebenswasser.

Szene XVII: Präsentation. Amun stellt den Göttern des Landes den neuen König vor.

Diese beiden Szenen aus dem oberen Register der Der-el-Bahri-Fassung noch zum Geburtszyklus hinzuzunehmen, scheint zwar der Registeraufteilung dieser Fassung und auch der Anordnung in Luxor zu widersprechen (24), hat aber den Vorzug, sämtliche den Thronfolger als kleines Kind darstellenden Szenen zusammenzufassen und kann als äusseres Indiz für sich verbuchen, dass erst danach in der Der-el-Bahri-Fassung durch einen längeren Text eine deutliche Zäsur gegenüber der Krönungs-Sequenz gesetzt wird. Ausserdem, aber darauf wird man wohl nicht allzuviel geben dürfen, kommt nun die wichtigste Szene, die Geburt, genau in die Mitte des Zyklus zu stehen (25). Inhaltlich wirkt diese Komposition dadurch in dieser Form befriedigender, weil sich nun Anfang und Ende, Verheissung und Präsentation des künftigen Königs vor der Göttergemeinschaft, genau entsprechen (26).

Wie hat man nun Form und Funktion dieser gesamten Komposition aus Bildern und Texten zu verstehen? Brunners Deutung als Mythos ist von Morenz und Barta bestritten worden, die darin vielmehr ein Ritual erblicken wollen. Diese Alternative - Mythos oder Ritual - erscheint wenig sinnvoll, da ja auch das Ritual eine Präsentationsform des Mythos sein kann. Mit Blick auf das Sujet kann die Frage nur lauten: "Mythos oder Geschichte?", mit Blick auf die Präsentationsform nur "Ritual - bzw. Drama - oder Erzählung?" Die erste Frage wird man zugunsten des Mythos, allenfalls Geschichte als Mythos, entscheiden, die zweite wohl eher zugunsten des Rituals. Jedenfalls handelt es sich, was die äussere Form angeht, nicht um eine Erzählung; vielmehr sind dramatische Szenen dargestellt, die sich zu einem Spiel, also einer Art von Ritual, zu verbinden scheinen. Das ist aber nicht die übliche Art ägyptischer Ritualdarstellungen. Vor der Spätzeit beziehen sich die bildlichen Darstellungen zu religiösen Spielen immer auf die "realweltliche", nicht auf die "götterweltliche" Ebene (26a). Hier sind aber eindeutig Götter und nicht Priester dargestellt.

Ich möchte die eigentümliche Präsentationsform des Mythos als ein "Fiktives Ritual" bezeichnen. Eine gewisse Analogie dafür liefern die Darstellungen der Beisetzung in den zeitgenössischen Beamtengräbern. Dort hat man aus alten Ritualbüchern eine Szenenkomposition zusammengestellt, die mit den tatsächlichen rituellen Vorgängen bei der Beisetzung gewiss nur ganz partiell zusammenhängt, und die nur dazu dient, der Verewigung dieser Vorgänge eine alt-geheiligte Form zu geben (27). Hier liegt vermutlich dasselbe vor: ein Ritualbuch, dessen hohes Alter sich in verschiedenen sprachlichen und ikonographischen Details zu erkennen gibt, wird zu einem Szenenzyklus ausgebaut, der den tatsächlichen Vorgängen eine verewigungswürdige Form geben soll (28). Unter diesen tatsächlichen Vorgängen haben wir uns aber nicht die der Zeugung und Geburt, sondern die der Krönung als einer Neugeburt vorzustellen (28). Die Krönung bildet den Anlass und den letzten Akt dieser Begehungen.

In der Spätzeit tritt uns der Bilderzyklus des Neuen Reichs in den "Geburtenhäusern" oder "Mammisi" entgegen, jenen Kapellen, die sich bei fast allen grösseren Tempeln der letzten vorchristlichen Jahrhunderte finden (30). In diesen Kapellen ist, wie wir aus den Festkalendern erfahren, gelegentlich eines grossen Götterfestes im Monat Pachons ein Ritual mit dem Titel "Die Geburt des Gottes" durchgeführt worden (31). Dieses Ritual stellt man sich als eine Art Mysterienspiel vor, das sich ohne Zuschauer im Innern des Geburtshauses vollzog und ungefähr so ablief, wie es die Bilderzyklen der Wanddekoration darstellen (32). In dem frühesten Mammisi, dem des Nektanebos in Dendara, und im Geburtshaus von Philae, das auf dieselbe Vorlage zurückgeht, finden wir den Bilderzyklus des NR in einer überraschend wenig veränderten Form. Die wichtigste Veränderung gegenüber dem NR besteht darin, dass in der Rolle des Kindes nicht der regierende König, sondern der Kindgott der jeweiligen Göttertriade erscheint. In den Kultzentren der Spätzeit hat sich im Zuge einer Systematisierung die Bildung von Götterfamilien: Vater, Mutter und Kind, praktisch überall durchgesetzt. Einmal im Jahr, im Monat Pachons, der auf den Erntemonat Pharmouthi folgt, wird im Geburtshaus die Geburt, Aufzucht und Herrschaftsübernahme des Kindgottes, und damit die Erneuerung der Fruchtbarkeit und der Anbruch einer neuen Heilszeit, gefeiert (33).

Unserem folgenden Ueberblick liegen vier Mammisis zugrunde:
1.) DN: das Mammisi des Nektanebos in Dendara (34).
2.) Ph: das Mammisi von Philae, begonnen vor Ptolemäus V. (35).
3.) E: das Mammisi von Edfu, unter Ptolemäus X., Euergetes III., Physkon (36).
4.) DR: das römische Mammisi von Dendara, dekoriert unter Trajan, Hadrian und Antoninus Pius (37).

Die Szenen gliedern sich in 2 Sequenzen, die in DN, Ph und DR auf 2 gegenüberliegende Wände verteilt sind (38). Ich bezeichne sie mit den folgenden

Siglen (die römischen Zahlen rechts beziehen sich auf die entsprechenden Szenen des alten Zyklus):

I. Sequenz I B Theogamie   = IV

         I C Amun beauftragt Chnum   = V

         I D Chnum und Heket formen und beleben das
Kind (39)   = VI

         I E Thoth verkündet der Hathor (40)   = VII

         I F Chnum und Heket geleiten Hathor zum
Kindbett (41)   = VIII

II. Sequenz II B Geburt   = IX

        II C Väterliche Anerkennung: Amun und
Hathor mit dem Kind (42)   = X + XI

        II D Säugung im Kindbett (43)   = XII

        II E Präsentation des Kindes vor der
Neunheit durch Milch- und Nilgott
(44)   = XIII cf XVII

        II F Einführung, mit Heka und Anubis   = XV

Diese 2 x 5 Szenen bilden den festen und alten Bestand innerhalb der Dekorationsprogramme der späten Mammisi. Sie werden auch die Abfolge der entsprechenden Kult-Episoden ziemlich genau wiedergeben. Beide Szenenfolgen scheinen eingerahmt zu werden von 2 Szenen, in denen Thoth und die 15-köpfige "Neunheit" von Karnak auftreten. Die erste Szene, die sich bei DN, Ph und DR findet, leitet sich vermutlich aus der ursprünglichen Eingangsszene I, dem "Vorspiel im Himmel" her, in dem Amun der "Neunheit" den Plan der Zeugung eines neuen Königs verkündete; sie erscheint hier umgedeutet in einen Huldigungszug der Götter zur Geburtsstätte des Kindes (I A) (45); die zweite Szene findet sich nur bei DN: Thoth verkündet der Neunheit die Geburt des Kindes (III G) (46). Darüber hinaus hat DN gegenüber Ph noch eine Szene, die sich als eine Zutat gegenüber dem alten Bestand erklären lässt: die Anerkennung des Kindes durch Harachte (47). Die Szenen des alten Bestands halten an Amun als dem Vater fest: so wird es notwendig, in neuen Szenen auch den Vatergott des Ortstempels in die Vaterschaft am neugeborenen Kindgott einzubeziehen (48). Das geschieht in Form von Varianten der alten Anerkennungsszene XIV, die vor allem in E und DR überhandnehmen. Bei DN findet sich diese Szene eigentümlicherweise vor der Geburt eingeschaltet, daher erfordert sie das Siglum II A. Nach der Anbringungsform ganz ans Ende gehören offenbar zwei Szenen, die sich nur bei DN, nicht bei Ph finden: die stillende Hathor, einmal mit Thoth und Nechbet (II H_1), das andere mal mit Seschat und Uto (II H_2) (49). In beiden Szenen ist Harachte dabei. Das Kind kann schon stehen und trägt die oberägyptische Krone. Ausserdem findet sich bei DN gegenüber Ph die Szene der Aufzucht des Kindes durch die Ka- und Hemuset-Genien; ich nenne sie II D_{bis}, da sie wie II D auf die alte Szene XII zurückgeht. Mit Hilfe dieser Siglen lässt sich nun die Anbringung der einzelnen Szenen in den 4 wichtigsten Mammisi wie folgt schematisch darstellen:

Philae

Westwand

I B	I C	I C	I E	I F
I A				

Ostwand

II F		II E	
II D	II C		II B

Westwand

II H_1		II H_2	
II G		I A	

Nordwand

I B	I C	I D	I E	I F	Amun[50]
I A					

I $E_{var:}$
Chnum
verkün-
det

Südwand

II F		II E		II D_{bis}	
II D	II C	II B		II A

DR Nordwand

andere Szenen						
I B	I C	I D_{var}	I E	I E_{var}	I F	Amun[50]
II D_{bis}	II C_{var}	II B		II A_{var}	I D_{var} (Ptah)[51]	
I A						

I D_{var}:
Hathor
statt Heke
I E_{var}:
Chnum ver-
kündet

Südwand

andere Szenen						
II H_{2var}	I D	II E_{var}	II F	II H_{1var}	andere Szene	II D_{bis}
II D+C_{var}		II D	II C		II B	
II A_{var}[52]						

Edfu Südwand

II A_{var}	II H_{1var}	II F_{var}	II E/G_{var}[53]
I D_{var}	I D	II H_{2var}	II C_{var}
Opferszenen			
I A_{var}			

I D_{var}: Hathor

Nordwand

andere Szene	II C_{var}	andere Szene	II A_{var}
andere Szene	II D	II B	I B
Opferszenen			
andere Szene: Huldigung	durch 20 Hathoren		

Ostwand

II H_{var}	II D_{bis}	II H_{var}
ande-	Tür	ande-
re		re
Sz.		Sz.

In dieser Uebersicht sind die vier Versionen nicht chronologisch, sondern nach Massgabe ihres Abstandes von der Fassung des NR angeordnet. Ph scheint die Vorlage am getreusten wiederzugeben. DN hat sie bereits angereichert mit Szenen, die auf die lokale Theologie Bezug nehmen (II A). In DR ist die Anreicherung noch weiter vorgeschritten, wobei aber offensichtlich nicht eine Ausweitung des Festspiels der Grund ist, sondern der wesentlich grössere Raum, der hier für die Dekoration zur Verfügung stand und mit Dubletten und Varianten gefüllt werden musste. In E ist der Abstand zur Urfassung am grössten, weil hier nicht nur Dubletten und Varianten hinzukommen, sondern der alte Bestand selbst verkürzt erscheint. Ausserdem ist hier die sequentielle Ordnung der Szenen vollkommen durcheinander gekommen.

In dieser Anordnung tritt deutlich die Tendenz der Abwandlung hervor, der die späten Mammisi die alte Vorlage unterwerfen. Die Szenen der ersten Sequenz (vor der Geburt) treten immer mehr zurück zugunsten solcher, die sich auf die zweite Sequenz (Geburt und Aufzucht) beziehen:

	I	II
Philae	6	5
DN	7	9
DR	8	14 dazu sämtliche "anderen Szenen"
E	3	14

Dabei überwiegen die Szenen der stillenden Gottesmutter. Allein im Sanktuar von DR wird sie, wenn ich richtig gezählt habe, 32 mal dargestellt (in Edfu 23 mal; dort ist die gesamte Szenenzahl wesentlich geringer). Diese Beobachtungen beziehen sich natürlich nicht auf das Mysterienspiel selbst, das möglicherweise gar keinen oder ganz anderen Wandlungen unterworfen war, sondern allein auf die Prinzipien der Wanddekoration, die sich verändern. Bei der Wanddekoration geht es immer weniger darum, narrative Zusammenhänge abzubilden, Uebergangsstadien einer Geschichte, die sich auseinander und aufeinander zu entwickeln, wie es bei den sequentiell geordneten Szenen gegeben ist, und immer mehr darum, eine bleibende Konstellation von Mutter und Königskind im Bildtyp der stillenden Gottesmutter abzubilden, zu der alles andere nur Vorgeschichte ist. Kennzeichnend für diese Tendenz ist die Umdeutung der Eingangsszene: vom "Vorspiel im Himmel" zur Huldigung der Götter vor dem bereits geborenen Kind, die in E abgeschlossen ist (54).

Andere Gründe hat die Einführung und fortschreitende Multiplizierung einer Szene, die wir II A beziffert haben, weil sie in DN die 2. Sequenz einleitet: die Anerkennung des Kindes durch den Vatergott der Tempeltrias.

Diese Szene wird deshalb notwendig, weil innerhalb des Zyklus nicht dieser
Gott, sondern Amun als Vater auftritt. Dieses Festhalten an Amun ist höchst
auffällig. Seine Funktion als "Reichsgott" (55), der er im NR seine Vaterschaft zum König verdankt, ist längst hinfällig geworden; sein Kult in Theben
an Bedeutung weit hinter andere Zentren zurückgefallen. Trotzdem ist nicht nur
er es, der das Götterkind der jeweiligen lokalen Tempeltrias zeugt, es ist
auch die 15-köpfige "Neunheit" von Karnak, der die Geburt verkündet wird,
die dem Neugeborenen huldigt, und der er nach Vollzug der Reinigungsriten
als neuer Herrscher präsentiert wird, die also die Funktion der Oeffentlichkeit übernimmt.

Daraus wird ersichtlich, dass die Geschichte inzwischen jene unauflös-
liche Verbindung mit einer Gestalt eingegangen ist, wie sie für Mythen kennzeichnend zu sein scheint (56). Ebenso wie der Osirismythos sich nur von
Osiris, scheint diese Geschichte sich nur von Amun erzählen zu lassen. Im
Neuen Reich war das nicht so; wir werden das entsprechende Beispiel noch
kennen lernen (57). Jetzt aber ist sie zu einer Art Amun-Mythos geworden;
dabei ist Amun ein Gott, der von Haus aus auffällig wenig mythologische An-
satzpunkte bietet. Amun erscheint hier als der Gott des zeugenden Pneuma,
von dem Plutarch in seiner Vita des Numa spricht: "Die Aegypter machen in ihren Glaubensvorstellungen eine nicht unplausible Unterscheidung: für eine
Frau ist es nicht unmöglich, dass ein Pneuma Gottes sich ihr nähere und in
ihr Leben zeuge; ein Mann kann aber keinerlei körperlichen Umgang mit einer
Göttin haben (58)." Amun ist der unsichtbare und allgegenwärtige Gott des
Lebensodems (59), der "dem, der im Ei ist, Luft gibt" und "Atem an jede Nase":
so ruft ihn das Lied an, das in Dendara vor der Geburt angestimmt wird (60).

Damit ist jedoch noch nicht alles geklärt. Denn der Rekurs auf die Vorstellung eines göttlichen Pneuma ist doch nur dann nötig, wenn eine sterbliche Frau ein Kind zur Welt bringt, für das nur ein Gott als Vater in Be-
tracht kommt. Die Funktion des Pneuma in dieser Geschichte steht und fällt
mit dem Antagonismus von göttlicher und menschlicher Sphäre, der dadurch überwunden wird. Gerade dieser Antagonismus ist aber in der Spätzeit durch Transposition des Geschehens in die Götterwelt aufgehoben: sowohl Mutter als Kind
sind jetzt Götter, wobei übrigens diese Rollen nicht festliegen, sondern
mit den Gottheiten der lokalen Triaden besetzt werden: Hathor in Dendara und
Edfu, Isis in Philae; Ihi in Dendara, Harsomtus in Edfu, Harpokrates und der
regierende König in Philae (61). Die Transposition der Geschichte in die
Götterwelt ist auch der Grund dafür, warum sich das Sinnzentrum, der Schwerpunkt ihrer Bedeutung, wie es die Wanddekorationen hervorheben wollen, immer

mehr auf die zweite Sequenz verlagert. Nicht die "Zeugung des Sohnes" ist
hier das zentrale Ereignis, sondern die Geburt des Kindes und vor allem seine Ueberhäufung mit Segenskräften, die es instand setzen, die Herrschaft
anzutreten und eine neue Heilszeit heraufzuführen (62). Durch diese Sinnver-
schiebung sind die Anfangsszenen des alten Zyklus entweder umgedeutet (I)
oder ganz weggelassen worden (II-III). Die Ueberwindung der Grenze zwischen
göttlicher und menschlicher Sphäre, das Mysterium der Verkörperung göttlichen
Samens oder Pneumas im Fleisch, kann in dieser Fassung des Mythos keine Rolle
mehr spielen. Darin, dass man trotzdem an Amun als dem Protagonisten der Geschichte festhält, liegt ein Widerspruch, der auf eine gewisse Doppelgleisig-
keit der Tradition verweist. Wir müssen davon ausgehen, dass sich die königstheologische Tradition des Neuen Reiches in der Spätzeit und unter dem Ein-
fluss veränderter geschichtlicher Bedingungen zu einem Amun-Mythos verdichtet hat, der in Theben als einem mythischen Schauplatz spielt und von diesen
Determinanten nicht ablösbar ist (63). Dieser Mythos wird nun mit dem Kind-
kult der triadisch organisierten Spätzeittempel in Verbindung gebracht. Durch
das Hinzutreten des Mythos wird das Ritual zum Mysterienspiel und der routine-
mässige Kult zum Fest. Das Ritual basiert auf dem Prinzip der Wiederholung. Es
gibt den typischen, immer wiederkehrenden Vorgängen eine genau festgelegte
und wiederholbare Form. Durch das Hinzutreten des Mythos wandelt sich die rituelle Wiederholung zur Vergegenwärtigung eines mythischen Ereignisses (64).
Diese Beziehung zwischen Mythos und Fest scheint für die ägyptische Spätzeit
typisch zu sein (65). Zum "Heimkehrfest" (jn.tw.s) (66) gehört der Mythos
der "Fernen Göttin" (67) und zum "Siegesfest" (h3b qnt) (68) die Kampfmythen
um Horus und Seth (69). Alle diese Mythen sind auch ausserhalb der Aufzeichnungen der mit ihnen verbundenen Festriten auf Tempelwänden in der Ueberlieferung greifbar. Sie waren in der mündlichen Ueberlieferung und in der Literatur der Zeit lebendig. So möchte man auch eine mythische Ueberlieferung ausserhalb der Mammisi ansetzen, die an die Gestalt des Gottes Amun gebunden war, in
einem mythischen Theben spielte und ihren Sinnschwerpunkt im Mysterium der Verkörperung, der "Zeugung des Sohnes" hatte.

In genau dieselbe Richtung weisen nun auch Beobachtungen eines gewissen
stilistischen Ungleichgewichts, die H. Brunner bereits an den königlichen Bildzyklen des Neuen Reichs machte, und denen ich im folgenden etwas nachgehen
möchte.

Der Eindruck eines Ungleichgewichts gründet sich auf zwei Merkmale, die
miteinander zusammenhängen:

1. der Stil der sprachlichen Formulierung: während die meisten Szenen

so gut wie vollständig aus Götterreden bestehen, sind in den ersten Szenen, vor allem Nr. 2-4, kurze erzählende Sätze eingeschaltet. H.Brunner bemerkte im Hinblick auf den Stil der Präsentation des Stoffes sehr treffend, dass die Erzählung zunächst mit vollen Klängen einsetzt, sich aber nach der 4. Szene im Sande verläuft (70).

2. eine inhaltliche Qualität, die ich, im Anschluss an die oben gemachte Unterscheidung zwischen dem festlichen und dem alltäglichen Ritual, das "Ereignishafte" nennen möchte. Damit meine ich die Aufzeigung einer semantischen Grenze, deren Vorhandensein sich als Konflikt, deren Ueberschreitung sich als Ereignis manifestiert. Auch hier lässt sich zeigen, dass sich das, was man in unserem Zyklus an derartiger antagonistischer Spannung feststellen kann, auf die ersten 4 Szenen konzentriert.

Die Geschichte orientiert sich an Fixpunkten, die ihr entweder als anthropologische Universalien wie Zeugung - Geburt - Aufzucht oder kulturspezifisch ägyptische Institutionen wie väterliche Anerkennung - Beschneidung - Reinigung vorgegeben sind. Ist der Handlungsablauf vorgegeben, kann das Besondere, Ereignishafte nur in dem "Wie" liegen, in der Wunderbarkeit der Geburt und/oder Kindheit. Hier ist aber nichts wunderbar oder abnorm (71); vielmehr weist alles darauf hin, dass sich die vorgeschriebenen Vorgänge "rite" vollziehen, wenn man einmal davon absieht, dass der ordnungsgemässe Vollzug in die Hände von Gottheiten gelegt ist. Der Ausdruck "rite" verweist auf den dem Festlichen entgegengesetzten Aspekt des Rituellen, wo das Ritual nicht vergegenwärtigend ein mythisches Ereignis zur Darstellung bringt, sondern sich wiederholend im vorschriftsmässigen Durchspielen von Vorgängen erschöpft, die ihre Bedeutung in sich tragen. Das ist bei Geburt, Aufzucht, Beschneidung des Königskindes gewiss der Fall, sei es, dass die Durchführung dieser Handlungen selbst ritualisiert ist, sei es, dass diese Handlungen im Zusammenhang der Krönung rituell wiederholt werden.

Dafür tritt aber in den Anfangsszenen des Zyklus Ereignishaftes, Grenzüberschreitendes hervor. Der Götterkönig verliebt sich in eine sterbliche Frau und sendet seinen Wesir aus, Erkundigungen über sie einzuholen. Es stellt sich heraus, dass Amuns Wahl keine Unwürdige getroffen hat. Es handelt sich nicht nur um die schönste, sondern auch die vornehmste Dame des Landes, Jahmes, die Gattin König Thutmosis' I. Der König ist noch ein Kind, d.h. - wie Brunner sehr richtig folgerte - die Königin ist noch Jungfrau (72). In diesem Stück der Erzählung wird genuine Spannung aufgebaut, die auf das kommende Ereignis vorausweist. Grenzen werden spürbar zwischen semantischen Bereichen: Götter-

welt und Menschenwelt, und ihre Ueberschreitung erwartbar. In der nächsten
Szene gelingt Amun, an der Hand des Grenzgängers Thoth, des ägyptischen Hermes, der Uebertritt in die Menschenwelt (73). Dass er dabei die Gestalt des
königlichen Gemahls annimmt (74), ist im Bilde nicht dargestellt; erst aus
dem Text zur folgenden Szene geht dies hervor. So gelangt der Gott unangefoch-
ten durch die Palast- und Harimswachen und steht in der 4. Szene vor der Königin, die ihm vertraut entgegenlächelt. Allein mit der Königin, lässt der Gott
die Maske fallen und steht leibhaftig vor ihr. Wie erträgt ein Mensch den Anblick eines Gottes? Hier kommen andere Sinne zu Hilfe. Die Königin war, so
heisst es, erwacht von dem Gottesdurft, den Amun auch in der Gestalt des Königs
nicht ablegen konnte.

>"Der Palast war überflutet mit Gottesduft
>und alle seine Wohlgerüche waren solche aus Punt"

So ist sie "atmosphärisch" vorbereitet, ja gleichsam eingetaucht in ein Wesen,
das sich dann auch ihren Augen offenbart. Und nachdem der Gott, wie es sehr
deutlich heisst, "alles was er wollte mit ihr getan hatte", sagt sie:

>"Wie gross sind deine Machterweise!
>Herrlich ist es, dein Antlitz zu sehen!
>Du hast mich mit deinem Glanz umfangen,
>dein Duft ist in allen meinen Gliedern."

Dieser kurze Lobgesang ist das sinnliche Gegenstück zum Lobgesang der Maria.
Die Königin preist die sinnlich erfahrenen "Machterweise" des Gottes und
weist mit diesem Wort - b3W "Machterweis" - auf das zentrale Ereignis hin.
Gott selbst hat sich ihr offenbart und an ihr gehandelt.

Bis dahin lässt sich die Geschichte in dieser Weise nacherzählen. Das
beruht auf narrativen Qualitäten, die ihr inhärent sind: vor allem der konkreten, anschaulichen Spezifikation der Umstände, die eine entschlossene Abkehr
vom theologischen Dogma implizieren. Denn nach dem Dogma ist der Gott Amun
als Sonnengott allwissend und sieht, wie es in einem zeitgenössischen Text
heisst, "die ganze Welt in einem Augenblick" (75). Hier aber muss er Erkundigungen einholen. Nach dem Dogma ist Amun unsichtbar, sein Name bedeutet geradezu "der Verborgene, Unsichtbare". Hier aber muss er die Gestalt des Königs
annehmen, um zur Königin zu gelangen. All das geschieht nicht im Sinne einer
theologischen Wesensaussage, sondern um das Erzählens willen. Von den Göttern
der Hymnen und Rituale lässt sich nicht erzählen. Man darf nur nicht den Feh-
ler machen, derartige narrative Charakterisierungen, die sich zuweilen bis
zum Burlesken steigern können, als theologische Wesensaussagen aufzufassen
(76).

Mit den folgenden Szenen fallen die Götter jedoch in ihre rituelle und dogmatische Rolle zurück; sie sagen kaum noch etwas anderes als

"Hiermit gebe ich dir alles Leben, alles Heil,
alle Gesundheit, die bei mir sind"

und erzählende Zwischentexte fehlen ganz. Hier verläuft sich die Erzählung im Sand. Sie führt bis zur Zeugung des Kindes als Machterweis Gottes; alles andere: Geburt, Aufzucht, Beschneidung, Reinigung, Einführung und Krönung gehört zum Ritual. Im Gesamtzusammenhang der Darstellungsform, wie sie uns die Zyklen in Der-el-Bahri und Luxor darbieten, spielt die Erzählung kaum mehr als die Rolle der Exposition."Narrativität" und "Ereignishaftigkeit" hängen, wie man sieht, zusammen, sie bedingen sich gegenseitig.

Die Fassung unseres Stoffes, die wir im folgenden betrachten wollen, tritt uns in der Ueberlieferung zuerst entgegen, nämlich in einer literarischen Hs. aus dem frühen 16. Jh.v.Chr. (77). Der Text selbst ist vermutlich noch weitere 200 Jahre älter. In dieser Fassung erscheint er in der Form einer Wundererzählung, die den krönenden Abschluss eines Zyklus von Wundererzählungen bildet (78). Die Rahmenhandlung spielt am Hofe des Königs Cheops aus der 4. Dyn. (um 2650 v.Chr.), den seine Söhne der Reihe nach mit Wundererzählungen unterhalten. Zuletzt wird dem König ein Wunder realiter vorgeführt. Im Anschluss daran prophezeit der Zauberer dem König, dass eine Frau namens Rwd-dedet, die Frau eines Re-Priesters von Sachebu, mit 3 Kindern des Sonnengottes schwanger ist, von denen ihr der Gott gesagt habe, dass sie dereinst die Herrschaft ausüben sollten im ganzen Lande. Der König erfährt dann noch den Geburtstag der königlichen Gotteskinder: der Vollmondstag des 1.1.prt (79).

Anschliessend verlagert sich die Erzählung, den Rahmen sprengend und dadurch die Einarbeitung andersartigen Materials verratend, nach Sachebu, wo Rwd-dedet in Wehen liegt. Re schickt die Gottheiten Isis, Nephthys, Meschenet, Heket und Chnum aus, um die Mutter von den Drillingen zu entbinden, die "das Königsamt ausüben werden in diesem ganzen Lande, die eure Tempel bauen und eure Altäre versorgen werden, die eure Opfertische gedeihen lassen und eure Gottesopfer vermehren werden." Das sind fast dieselben Worte wie die, in denen in der 1. Sz. unseres Zyklus Amun der Göttergesellschaft den künftigen König prophezeit:

"[sie wird] eure Kapellen [bauen,] sie wird [eure Tempel]
weihen [...] [sie wird] eure Opfer [mehren] , sie wird
[eure Altäre] versorgen...".

Die 5 Gottheiten begeben sich unerkannt zum Haus der Rwd-dedet, wo der besorgte, nichtsahnende "Vater" sie empfängt, und entbinden Rwd-dedet von

ihren Kindern. Isis und Nephthys sind die Hebammen, Heket "beschleunigt die
Geburt", Mesechnet, die Schicksalsgöttin, diagnostiziert die Neugeborenen
als künftige Könige (80) und Chnum ist einfach so dabei. Die Schilderung orientiert sich deutlich an der Geburtsszene des königlichen Zyklus (=Sz.IX), deren
Konstellation sie genau wiedergibt. So wie die Erzählung in das 'Ritual' der
NR-Fassung eingeblendet wurde, so wird in diese Erzählung das 'Ritual' eingeblendet. Die Gottheiten verlassen die Stätte ihres Wirkens nicht, ohne nicht,
wie es sich für das genos der Wundererzählung gehört, noch ein Wunder für die
Königskinder zu tun. Sie verstecken 3 Kronen in einem Kornsack, aus dem daraufhin geheimnisvolle Musik ertönt "wie sie für einen König gemacht wird". Allerdings wäre das den Kindern fast zum Verhängnis geworden, denn so erfährt eine
Magd von dem Geheimnis und macht sich auf, um es dem König Cheops zu verra-
ten, dem die Geschichte ebenso stillschweigend wie offenkundig herodes-artige
Absichten unterstellt (81). Zum Glück kommt die Magd nicht ans Ziel. Damit
bricht die Geschichte ab.

Der Mythos erscheint hier im Gewand einer Wundererzählung, in dem er in
seiner Urgestalt nicht mehr eindeutig zu erkennen ist. Der Schwerpunkt liegt
einseitig auf der wunderbaren Geburt. Wunderbar und märchenhaft ist das uner-
kannte Auftreten und Wirken der Gottheiten, das mühelose Hervorkommen der Kinder auf das Zauberwort der Isis, das sie im Wortspiel beim Namen ruft, ihre
kostbare Substanz, die auf ihre göttliche Herkunft und königliche Bestimmung
schliessen lässt (82) und schliesslich die prophetische "Königsmusik" der im
Getreide versteckten Kronen. Keine Frage, dass die Geburt, das Zur-Welt-Kommen
von Gotteskindern und designierten Königen im Schoss einer bürgerlichen Familie
das zentrale Ereignis ist. Demgegenüber tritt in dieser Version die Initiative
des Sonnengottes in den Hintergrund. Davon ist erst die Rede, als der Mutter
in ihren Wehen geholfen werden muss. Die Hintergründe seiner Vaterschaft werden nicht erzählt. Es heisst einfach: Rwd-dedet war schwanger mit drei Kindern
des Re von Sachebu; und auch, dass der Gott selbst ihr die Bewandtnis ihrer
Kinder eröffnet habe, also die "Verkündigung", die in Szene 4 unseres Zyklus
stattfindet, wird erwähnt.

Das ist ein Punkt, wo die Erzählung über sich hinaus weist, wo man spürt,
dass eine überlieferte Geschichte nur ausschnitthaft zu Wort kommt. Ein anderer Punkt ist die Rolle des Cheops, die in dieser Version gänzlich in den Bereich des zwischen den Zeilen stehenden sous-entendu verwiesen wird. Wir erfahren, dass er "verstimmt" ist über die Kunde der drei Sonnenkinder und müssen
davon ausgeben, dass er ihnen nach dem Leben trachtet, wenn anders die Sorge angesichts der beabsichtigten Denunziation durch die Magd begründet ist. In die-

sem Licht bekommen vielleicht auch die prophetischen Worte eine andere Bedeutung, die Re zu den Göttern über die künftigen Könige sagt: dass sie den
Göttern Tempel bauen und Opfer darbringen werden (83). Sind die Götterkulte
unter ihren Vorgängern, den Erbauern der grossen Pyramiden, vernachlässigt
worden? Wir stossen hier zum ersten Mal auf eine Legende, die sich an die
grossen Pyramiden von Giza geknüpft und bis in Herodots Tage gehalten hat.
Wer alle Kräfte des Landes auf die Errichtung seines eigenen Grabmals verwendet, der kann nur ein gottloser Tyrann sein (84). Die Könige der 5. Dynastie errichteten demgegenüber nur bescheidene Pyramiden, dafür aber monumentale Sonnenheiligtümer. Ausserdem nannten sie sich "Söhne des Re", was
seitdem fester Bestandteil der Königstitulatur wurde. Auch das hat in der
Ueberlieferung fortgelebt. Nimmt man diese beiden Fakten zusammen, die in
der Wundererzählung des pWestcar mehr zwischen den Zeilen stehen als erzählt
werden, dann ergibt sich ein Zusammenhang, in dessen Rahmen der wunderbaren
Geburt der neuen Könige der Charakter einer Wende zum Besseren (metabolè epì
tò béltion) zuwächst:

I   [Ausgangssituation ist eine Heil-losigkeit der Geschichte, verschuldet
    durch das gestörte Verhältnis des Königs (Cheops) zu den von ihm ver-
    nachlässigten Göttern]

II a[Da greift der Sonnengott Re selbst ein und zeugt in der Frau seines
    Priesters die Gründer einer neuen Dynastie.]
 · b die auf wunderbare Weise zur Welt kommen
    c[und allen Nachstellungen zum Trotz heranwachsen.]

III [Mit der Thronbesteigung der neuen Priester-Könige bricht eine neue
    Heils-Zeit an, in der die Götter versöhnt werden und auf Erden Gerech-
    tigkeit herrscht.]
    Seitdem - so möchte man, das Ganze als einen ätiologischen Mythos le-
    send - fortfahren, sind die ägyptischen Könige Söhne des Sonnengottes
    und Priester der Götter, deren vornehmste Aufgabe es ist, Tempel zu
    bauen und Opfer darzubringen.

Diese Rekonstruktion macht aber am Verhältnis dessen, was sie in Klammern
stellt, zu dem, was im Text steht, nur umso deutlicher, wie weit die Geschichte, wie sie im Text erzählt wird (= IIa), von dem entfernt ist, was
wir uns unter einem Mythos vorstellen: eine Geschichte, die im Dreischritt

ihrer narrativen Entfaltung I Anfang (archē) - II Umschlag (peripateia) -
III Lösung (lysis) (85) eine semantische Umkehrung der negativ besetzten
Ausgangssituation bewerkstelligt (86). Auch hier stossen wir also wieder
auf eine Aufzeichnung, die über sich hinausweist. Waren es in den Spätzeit-
Zyklen gewisse innere Widersprüche (Amun als Vater, trotz Transposition
der Geschichte in die - jeweils lokale - Götterwelt) und in der NR-Fassung
das stilistische Ungleichgewicht in der Verteilung der mythisch-narrativen
Fragmente, die uns einen Hinweis auf (mündliche?) Ueberlieferungsformen
der mythischen Tradition ausserhalb der erhaltenen Aufzeichnungen gaben, so
finden sich in der Fassung des pWestcar derartige Hinweise in den Präsuppo-
sitionen: dem Vorausgesetzten, dem Verschwiegenen und dem zwischen den Zeilen Mitgesagten.

In der unterhaltenden Literatur tritt uns der Mythos von der göttlichen Zeugung des Königskindes noch einmal in einem anderthalb Jahrtausende jüngeren,
in griechischer Sprache überlieferten Text entgegen, dem Schwank vom "Trug
des Nektanebos", der in den Alexanderroman des Pseudo-Kallisthenes einge-
arbeitet ist (87). Die Grundlinien der Geschichte sind kurzgefasst:

I a   Nektanebos, der letzte einheimische Pharao Aegyptens, ist ein grosser
      Zauberer und Wahrsager. Er sieht die Eroberung Aegyptens durch die
      Perser voraus und flieht nach Makedonien.

  b   Die Aegypter befragen das Orakel und erfahren: euer entflohener König
      wird als Jüngling nach Aegypten zurückkehren und eure Feinde, die Per-
      ser, unterwerfen.

II   In Pella konsultiert während einer Abwesenheit ihres königlichen Ge-
      mahls Philipp die Königin Olympias den berühmten Wahrsager wegen Tren-
      nungsabsichten ihres Mannes. Nektanebos entbrennt in Liebe zu ihr.

III   Nektanebos weissagt der Olympias die Beiwohnung eines Gottes im Traum
      und die Geburt eines Götterkindes, das sie an ihrem Gemahl "rächen"
      soll. Nach dem Traum wünscht sich Olympias die "Autopsie".

IV   Nektanebos inszeniert die "Heilige Hochzeit", indem er selbst den Gott
      verkörpert.

V   Ein (wiederum magisch inszenierter) Traum verkündet dem heimkehrenden
      König Philipp die göttliche Bewandtnis, die es mit der Schwangerschaft

seiner Frau hat. So wird Alexander bei seiner Geburt von Philipp als Kronprinz anerkannt und "von den Göttern aufgezogen" (88).

Der Schwank, dessen Held Nektanebos ist, endet hier bzw. bei IV; die Geschichte, in die er eingebettet ist, beginnt mit dem Orakel (Ib) und endet mit der Thronbesteigung Alexanders; der eingebettete Schwank beginnt mit dem Liebesverlangen des Nektanebos zu Olympias und endet mit dessen Erfüllung. Beide Geschichten stehen mit unserem Mythos in engstem Zusammenhang. Die Alexandergeschichte gibt seine sozusagen "kanonische" Form wieder:

I   Ein König wird verheissen
II   der König wird gezeugt in der Königin vom Gott Amun
III   das Kind wird geboren
IV   das Kind wird zur Herrschaft aufgezogen
V   der Jüngling besteigt als König den Thron

Anstelle von II ist nun der Schwank in diese Geschichte eingebettet, der die kanonische Konstellation in höchst witziger Weise umkehrt: nicht der Gott erscheint in der Rolle des irdischen Gemahls, sondern der irdische Liebhaber erscheint in der Rolle des Gottes. Diese Kontrafaktur ist bekanntlich über Boccaccio genauso unsterblich geworden (89), wie die eigentliche Konstellation über Amphitryon und die lukanische Geburtslegende. Nektanebos nimmt nicht die Gestalt irgendeines Gottes, sondern die des Amun an, d.h. die des libyschen Ammon von Siwa, in welcher Gestalt Amun in der griechischen Welt bekannt war. Wie man weiss, hat Alexander das berühmte Orakel von Siwa besucht und ist von dem Gott als Sohn begrüsst worden. Der "Trug des Nektanebos" ist also die schwankhafte Kontrafaktur einer Fassung des Mythos, die ihm von bzw. unter Alexander gegeben worden war (90).

In der Fassung der Nektanebos-Erzählung treten zwei besondere Züge hervor:
1. Die Identität von Vater und Sohn: nach der Auskunft des Orakelspruches ist der Sohn der als Jüngling heimgekehrte Vater.
2. Der Sohn als "Rächer", eigentlich: seines Vaters bzw. seiner "Vater-Form" an den Persern. Die eingebettete Trug-Geschichte stellt ihn als Rächer seiner Mutter an ihrem Gemahl Philipp dar, aber diese Darstellung gehört zum Täuschungsmanöver des Nektanebos.

Die Rächer-Rolle des Sohnes leitet sich von der Gestalt des Harendotes, des

"Horus-Rächer-seines-Vaters" her, wobei das entscheidende Verb nd zwar auch
die Rache des Vaters an dessen Mörder Seth meint, aber darüber hinaus ein viel
umfassenderes Einstehen des Sohnes für den toten Vater, dessen Stelle er ein-
genommen hat. Durch dieses Einstehen überwindet er den Tod des Vaters und lässt
den Vater in sich weiterleben. Man kann diese Vorstellung beschreiben als eine
vermittelte - nämlich durch die pietas des Sohnes vermittelte - Identität von
Vater und Sohn (91). In der Formulierung des Orakelspruches kommt diese Identität aber als eine unvermittelte zum Ausdruck: der Vater verwandelt sich (mit
Hilfe einer Frau, die er im gleichen Akt zur Gattin und Mutter seiner selbst
macht) in seinen Sohn. Dies ist die genaue Ausprägung einer Gottesidee, die
der Aegypter mit dem Prädikat des "Ka-Mutef", des "Stiers seiner Mutter" bezeichnet, und die als Konstellation des sich selbst in seiner Mutter-Gattin
zeugenden Gottes zu den fundamentalen Vorstellungen der ägyptischen Religion
gehört (92). H. Jacobsohn, dem wir die Erschliessung dieser Kamutef-Vorstel-
lung für das Verständnis der ägyptischen Königstheologie zu verdanken haben,
leitet sie aus einer anderen Erzählung her, die sich mit unserem Mythos allerdings nur ganz am Rande berührt: dem ägyptischen Zweibrüdermärchen, das uns
in einem Papyrus der späten 19. Dynastie (um 1200 v.Chr.) überliefert ist
(93). Hier wird am Schluss erzählt, wie der Held Bata als Holzsplitter in den
Mund der Königin eindringt, die "augenblicklich" schwanger wird und ihn als
Kind zur Welt bringt. Der König nimmt das Kind auf den Schoss und macht es
zum Kronprinzen. Schliesslich besteigt Bata den Thron und rächt sich an der
bösen Königin, seiner Mutter-Gattin, die ihm in seiner Vater-Form nach dem
Leben getrachtet hatte.

Auch diese Geschichte ist "eingebettet" und stellt nicht viel mehr als
die Coda dar im Rahmen eines grösseren Handlungszusammenhangs, auf den wir
hier nicht eingehen müssen (94). So ist hier die Prophezeiung fortgefallen,
die in allen anderen Versionen, die wir betrachtet haben, in der einen oder
anderen Form den Anfang bildet:

"Geburstzyklen":	"Vorspiel im Himmel"
pWestcar:	Weissagund des Djedi
Nektanebos:	Orakel

Daher erscheint hier die Geburt des Kindes nicht als eine metabolè epi to
béltion (95), jedenfalls nicht über seine eigenen Lebensverhältnisse hinaus.
Die Bedeutung der Geburt als einer "Heilswende", und überhaupt die Sinn-
Dimension des "Heils" als einer geschichtstheologischen Kategorie, ist hier
ausgeblendet. Es scheint die Funktion der Prophezeiung zu sein, diese Sinn-
Dimension im Rahmen der Geschichte zu vergegenwärtigen.

In diesem Zusammenhang muss daran erinnert werden, dass es in der ägyptischen
Literatur die Gattung der politischen Prophezeiung gibt, die in der Tat die
geschichtstheologische Kategorie des Heils zum Thema hat (96). Dieser Hinweis
erübrigt sich auch nicht dadurch, dass diese Gattung, wie sich bei näherer
Untersuchung ihrer wenigen erhaltenen Exemplare zeigen liesse, wenig oder
gar nichts mit unserem Mythos zu tun hat. In den Prophezeiungen des Heilskönigs
ist von seiner Zeugung durch Re oder Amun nicht die Rede. Im Neferti aus dem
frühen 2. Jt. heisst es:

> "Ein König wird aus dem Süden kommen,
>
> Ameni mit Namen,
>
> der Sohn einer Frau aus Ta-Seti,
>
> ein Kind von Oberägypten (97)."

In dem fast zweitausend Jahre jüngeren, griechisch überlieferten "Töpferorakel" spielen die Götter zwar bei der Heraufkunft des Heilskönigs eine entscheidende Rolle, aber von "Zeugung" und Gottessohnschaft ist nicht die Rede:

> "Dann wird Aegypten mächtig sein
>
> wenn für eine Periode von 55 Jahren
>
> ein wohltätiger König von der Sonne kommen wird,
>
> den die grosse Göttin Isis einsetzt (98)."

Diese Zurückhaltung ist umso auffälliger, als unser Mythos ja gerade in der
ägyptischen Spätzeit seine grösste, nun auch weit über Aegypten hinausgreifen-
de Strahlkraft entfaltet. Auch das III. Buch der sibyllinischen Orakel spricht
nur von einem König, den "Gott von der Sonne senden wird" (99). Offensichtlich
substituiert das Motiv der Sonnenherkunft in diesem Ueberlieferungsstrang das
Zeugungsmysterium als Bild und Inbegriff göttlich legitimierter Herrschaft.
In unserem Zusammenhang verdienen die Prophezeiungen aber deshalb eine Erwähnung, weil sie die von uns als "Ausgangssituation" angesetzte aber in unseren Texten niemals explizit ausgeführte Vorstellung einer geschichtlichen
Heils-Defizienz in aller Breite schildern und damit als Kategorie altägyptischen Geschichtsdenkens eindrucksvoll unter Beweis stellen (100).

Zwei Texte, die ich zuletzt noch erwähnen möchte, berühren sich dagegen sehr
eng mit unserem Mythos. Der erste Text ist als "Segen des Ptah" bekannt. Er
existiert in vier Fassungen, von denen die Inschrift in Abusimbel, in das
Jahr 35 Ramses' II. datiert (1255 bzw. 1244 v.Chr.), als die ursprüngliche
gilt (101). Es handelt sich um eine lange Segensverheissung des Gottes
Ptah-Tatenen an den König, der bekanntlich anlässlich seines ersten oder
zweiten Jubiläumsfestes seinen Horusnamen in "Herr von Sedfesten wie sein
Vater Ptah-Tatenen" ändert und diesem Gott von da an eine besondere Verehrung

entgegenbringt. Ich übersetze nur die in unserem Zusammenhang entscheidenden
Passagen:

I   "Ich bin dein Vater, der dich gezeugt hat als Gott und alle deine
     Glieder als Götter.
     Ich habe mich in den Widder von Mendes verwandelt und meinen Samen
     ergossen in deine erlauchte Mutter, denn ich wusste dass du mein.
     'Rächer' bist,
     dass du es bist, der meinem Ka wohlgefällig handelt (102)."

II   "Ich habe dich geboren, wie Re aufgeht,
     ich habe dich erhöht an der Spitze der Götter."

III "Die Chnume des Ptah ziehen dich auf,
     deine Mesechnet jubelt frohlockend (103),
     (Fassung von Medinet Habu:) seit sie dich erblickt haben,
     wie du meiner Gestalt gleichst, indem du erlaucht, gross und
     gewaltig bist...."

IV   "Ich betrachte dich mit jubelndem Herzen,
     ich nehme dich in meine Umarmung aus Gold,
     ich umfange dich mit Leben und Heil,
     ich vereinige dich mit Gesundheit und Freude,
     ich verbinde dich mit Jubel und Heiterkeit,
     Herzenslust, Frohsinn und Jauchzen..."

     "Ich mache dein Herz göttlich wie das meine,
     ich erwähle dich, ersehe dich, bereite dich,
     dein Geist ist erleuchtet, dein Ausspruch wirksam,
     nichts ist dir unbekannt,
     du bist klüger heute als gestern
     und belebst die Menschheit mit deinen Ratschlüssen."

V   "Ich habe dich zum König der Zeitfülle eingesetzt
     und zum Herrscher der Dauer.
     Ich habe deinen Leib aus Gold gebildet
     und deine Knochen aus Bronze,
     deinen Arm aus Erz.
     Ich habe dir jenes göttliche Amt gegeben,

damit du die beiden Länder als König beherrschst..."

VI   "Ich will dir grosse Nile geben
und dir das Land mit Fülle versorgen,
Speisen und Ueberfluss auf allen deinen Wegen.
Ich will dir Ernten geben, die beiden Länder zu ernähren"
usw. (folgt lange Segensverheissung)

Die Rede ergeht im Jahre 35 und bezieht sich auf die Zukunft. Die Garantien
für diese gesegnete Zukunft liegen aber in der Vergangenheit, auf die daher
eingangs ausführlich Bezug genommen wird. Der Gott beginnt "ab ovo", d.h. mit
der Zeugung des Sohnes. Hier begegnen wir derselben Konstellation wie im
Geburtszyklus:

1. der Gott in verwandelter, irdisch-sichtbarer Gestalt
2. die Königin
3. der göttliche Same als Keim des künftigen,
   d.h. zum Zeitpunkt der Aufzeichnung regierenden Königs.
Aber der Gott ist nicht Amun, sondern Ptah-Tatenen, seine irdische Gestalt
ist nicht die Sethos'I., sondern der Widder von Mendes, dessen Kult eine
symbolisch-rituelle Theogamie eingeschlossen haben muss.
Die weiteren Punkte dieser resümierten Vorgeschichte einer gegenwärtigen und
künftigen Heilszeit orientieren sich ebenso deutlich an den Stadien und Konstellationen des Geburts-Zyklus:
II   vgl. IX: Geburt, Stichwort: msj "gebären"
III   vgl. XII: Aufzucht. Stichwort: rnn "warten, säugen" (104)
      Beachte hier die Betonung der Ebenbildlichkeit (105)!
IV a vgl. XI: erste väterliche Anerkennung in der intimen Umarmung.
      Stichworte qnj, hpt "umarmen"
   b vgl. XIV: öffentliche Anerkennung und Erwählung zum Königtum
V   Krönung
Dass hier auf den Geburtsmythos Bezug genommen wird, lässt sich nicht be-
zweifeln, auch wenn die Abfolge der Abschnitte nichts besagt, weil sie nicht
auf einem logischen Handlungsaufbau beruht, sondern in der Natur der Sache
liegt, und auch wenn die Abweichungen von der "kanonischen" Form - die auch
Ramses II in seinem Totentempel anbringen liess (106) - beträchtlich sind.
Gerade an den Abweichungen zeigt sich, worin die Identität des Mythos, seine
"ikonische Konstanz" (H. Blumenberg) (107) beruht. Es ist hier - im Gegensatz
zu den Fassungen der Spätzeit - noch keine Konstanz der Gestalt: für Amun

tritt Ptah-Tatenen, für den irdischen Vater der Widder von Mendes ein, sondern eine Konstanz der Beziehung, der "Konstellation". Es sind vor allem zwei
Konstellationen, die der "Segen des Ptah" aus dem Geburtsmythos herausgreift:

1. Die Theogamie, in der der Gott in diesseitiger Gestalt erscheint, um in
   der Königin einen Sohn und "Rächer" zur Welt zu bringen: Abschnitt I vgl.
   Szene IV.
2. Die väterliche Anerkennung in Form der Umarmung, die das Kind als eben-
   bildlichen Sohn anerkennt und zum Herrscher erwählt: Abschnitt IV vgl. Szenen XI und XIV.

Es sind die beiden Konstellationen, in denen der Vater die Hauptrolle spielt,
und so stellt sie diese vom Vater gesprochene Rede mit Recht in den Vordergrund.

Genau komplementär dazu verhalten sich die Reden der göttlichen Mutter an den
König, wie sie in der Hathorkapelle der Hatschepsut von Der-el-Bahri aufgezeich-
net sind (108). Diese Kapelle ist nichts anderes als eine monumentale Ausge-
staltung von Szene XII des Geburtszyklus: der Säugung des Kindes als einer
"Aufzucht zum Königtum" (rnn r njswt) (109). Die Anklänge schienen schon
Sethe so auffallend, dass er diese Inschriften in seiner Edition zwischen den
Geburts- und den Krönungszyklus einrückte.
Dort sagt die Hathorkuh in einer der beiden grossen Inschriften, die beide
gleichermassen einschlägig sind:

> "Ich bin zu dir gekommen, meine geliebte Tochter Hatschepsut,
> um deine Hand zu küssen und deine Glieder zu lecken,
> um deine Majestät mit Leben und Heil zu vereinen
> wie ich es für Horus getan habe
> im Papyrusdickicht von Chemmis.
> Ich habe deine Majestät gesäugt an meiner Brust,
> ich habe dich erfüllt mit meiner Zauberkraft,
> mit jenem meinem Wasser des Lebens und des Heils.
> Ich bin deine Mutter, die deinen Leib aufzog,
> ich habe deine Schönheit geschaffen.
> Ich bin gekommen, dein Schutz zu sein
> und dich von meiner Milch kosten zu lassen,
> auf dass du lebest und dauerst durch sie (110)."

Die überragende Bedeutung der Szene XII des Zyklus liegt darin, dass mit dieser Säugung das von einer irdischen Mutter geborene Kind auch mütterlicher-

seits in ein göttliches Kindschaftsverhältnis aufgenommen wird, nämlich in die
Kindschaft zur Grossen Göttin , der Himmels- und Muttergöttin, die der Aegypter seit vorgeschichtlicher Zeit in Gestalt einer Kuh verehrt als den Inbegriff
der Fülle und des ewigen Lebens (111). Noch das Töpferorakel meint in seiner
auffälligen Formulierung:

> "der von der Sonne kommt
> und von der Grossen Göttin Isis (var.: von der
> Grossen Göttin (112))inthronisiert wird"

diese Konstellation von König und Himmelsmutter als den Inbegriff legitimen
Königtums (113). In den Mammisi stellt sie, wie wir gesehen haben, den dominierenden Bildgedanken und den "Bedeutungsschwerpunkt" des gesamten Mysteriums
dar (114). So erklärt es sich, dass Hatschepsut ihre Hathorkapelle im Grunde
diesem einen Thema widmet.

Wenn man von diesem Punkt aus die gesamte Ueberlieferung um die Geburt des
Königskindes in den Blick fasst, so ergeben sich vor allem zwei Beobachtungen,
die, wie ich meine, das Wesen der ägyptischen Mythologie zu charakterisieren
geeignet sind:

1. Der Mythos verdankt seine "ikonische Konstanz" einigen wenigen fundamentalen
   Konstellationen. Es sind vier oder fünf (115):
   1. Das Mysterium der Zeugung, die Ueberwindung des Hiats zwischen Himmel
      und Erde durch den hieros gamos von Gott und Mensch.
   2. Die Geburt: dir irdische Mutter, die mit dem Beistand der geburtshel-
      fenden Gottheiten (Isis und Nephthys, Heket, Chnum und Mesechnet) den
      neuen Gott zur Welt bringt.
   3. Die Umarmung, in der der Vater das Kind als seines an- und sich im
      Kinde wiedererkennt.
   4. Die Säugung und Aufzucht des Kindes durch die Personifikation der gros-
      sen Muttergottheit (Isis, Hathor, Himmelsgöttin, Himmelskühe und Kronen-
      göttinnen).

Der fünfte Akt des Geschehens ist die Krönung: sie ist das Ziel des ganzen
Geschehens, liegt aber ausserhalb des eigentlichen Geburtsmythos. Schon vor-
her aber und noch innerhalb des vom Mythos behandelten Geschehens scheint sich
dieses Geschehen nach aussen zu wenden und eine Art von Oeffentlichkeit einzubeziehen. Alles vorige verläuft ja in der Intimität des Harims und der Wochenstube. Die Szenen XIII-XVII der Der-el-Bahri-Fassung (besonders die Präsen-
tationsszenen XIII und XVII) und die Szenen II E - G der Spätzeitfassung geben
der Welt, d.h. der Götterwelt, den Blick auf das Ereignis frei und führen den

neuen Gott in die Gemeinschaft der Götter ein (116).

2. Die "Konstellationen" oder "Ikone", die der Geschichte zugrundeliegen, sind keine Funktionen, deren Bedeutung in dem liegt, was sie zur Handlung beitragen (was umso mehr betont werden muss, als dieser Handlungsablauf ja durch den natürlichen und institutionalisierten Ablauf der Dinge vorgegeben ist); sie tragen ihre Bedeutung vielmehr in sich selbst und sind aus dem Handlungsablauf vollkommen ablösbar. Sie bilden, jede für sich, Kristallisationspunkte für eigene "mythische Aussagen": Texte, Bilder und sogar ganze Heiligtümer, wie uns das Beispiel der Hathorkapelle von Der-el-Bahri gelehrt hat. Die Konstellation der Zeugung führt in der Kamutef-Idee ein mythologisches Eigenleben. Die Ikonographie und Phraseologie des ägyptischen Königtums ist durchsetzt mit den fundamentalen Bildern und Konstllationen dieses Mythos, ohne dass bei jeder dieser Szenen oder Formulierungen an diesen Mythos gedacht wäre, im Sinne eines Zitats oder einer Anspielung (117). Der Mythos bezieht sich auf eine sehr konkret bildlich ausgeprägte Vorstellungswelt, die auch ausserhalb seiner in einer Fülle von Bildern, Riten und Texten zur Darstellung kommt. Daher verschwimmen seine Konturen im Ganzen der ägyptischen Ueberlieferung in einer Weise, wie man das von mesopotamischen, ugaritischen, hethitischen, griechischen und sonstigen Mythen nicht gewohnt ist. Dem Begriff der ikonischen Konstanz, den wir von H. Blumenberg übernommen haben, und der den Mythos als solchen charakterisiert, müssen wir demnach als ein spezifisch ägyptisches Charakteristikum das Phänomen der kombinatorischen Unfestgelegtheit zur Seite Stellen. Man könnte es auch als "narrative Konturlosigkeit" bezeichnen. Die mythischen Ikone der Aegypter, die wir hier und auch sonst "Konstellationen" genannt haben, sind nicht narrativ, weil sie ihre Bedeutsamkeit nicht aus der Geschichte beziehen, in deren Rahmen sie erscheinen, sondern in sich selbst tragen und aus der Geschichte ablösbar sind. Das sei an einem Detail abschliessend veranschaulicht. Die Szene XII unseres Zyklus: die Säugung und Aufzucht des Kindes, wird in der Hathorkapelle von Der-el-Bahri und in den Mammisi nach Chemmis verlegt. Chemmis ist der mythische Ort im Delta, wo Isis, verborgen vor allen Nachstellungen des Seth, das Horuskind zur Welt brachte und aufzog. Es ist die zentrale Episode jenes Mythos, der mit dem Tod des Osiris beginnt und mit der Thronbesteigung des Horus endet. Es wäre nun sicher falsch, zu meinen, dass dieser Mythos in der Hathorkapelle und in den Mammisis "zitiert" würde. Das aus welchen Gründen auch immer in Chemmis lokalisierte Ikon der stillenden Gottesmutter (118) kommt in beiden Mythen vor, weil es unabhängig von ihnen existiert und seiner-

seits Kristallisationspunkt einer Fülle mythischer Aussagen, z.B. Zauber-
sprüchen für Mutter und Kind oder Heilungszauber gegen Schlangen ist.

Es ist gewiss nicht mehr als eine äusserliche Koinzidenz oder eine Folge der
angewandten Methode, wenn wir bei einer ähnlichen Analyse der Osiris-Ueber-
lieferungen ebenfalls auf fünf zugrunde liegende Konstellationen gestossen
sind (119). Keineswegs auf äusserlicher Koinzidenz beruht es jedoch, wenn auch
diese Konstellationen einerseits ihren Ort in der von Plutarch erzählten Geschichte haben und andererseits unabhängig voneinander Kristallisationspunkte
darstellen für eine Fülle mythischer Aussagen in ganz verschiedenen Lebens-
bereichen: I die Suche der Isis, und II die Beweinung, "Verklärung" und Be-
lebung durch Isis und Nephthys vorwiegend im Totenkult, III die Geburt und
Aufzucht des Kindes vorwiegend im Heilungszauber und im Zusammenhang unseres
Geburtsmythos, IV der Thronfolgeprozess zwischen Horus und Seth, z.B. im
Siegesfest von Edfu aber z.B. auch in der Unterhaltungsliteratur der Ramessi-
denzeit und V die Konstellation von totem Vater und die Herrschaft ausübendem
Sohn, in der Fülle der Königsinschriften.
Auch hier stossen wir auf eine ikonische Konstanz, die auf Beziehungen und
Grundsituationen beruht, die ihre Bedeutung in sich tragen und nicht aus dem
Handlungsaufbau einer Geschichte beziehen.

Was sich mir aus diesen Untersuchungen zum ägyptischen Geburtsmythos für die
Frage nach dem Wesen des Mythischen zu ergeben scheint, ist der Hinweis
darauf, dass zumindest im Hinblick auf die ägyptischen Befunde eine Bestimmung
des Mythos als G e s c h i c h t e plus differentia specifica - z.B. "myth
(is) a story of the gods" (120) zu kurz greift (121). Wer unter Mythen vor
allem Geschichten versteht, kann im alten Aegypten nur "die Verborgenheit
des Mythos" konstatieren, geht aber an der überwältigenden Evidenz der "Ikone"
- man könnte vielleicht, den Begriff des Bildhaften und des "Konstellativen"
verbindend, von Beziehungsbildern sprechen - vorbei, die ungeachtet ihrer
oft nur ansatzweisen Entfaltung zu Geschichten, Strahlkraft und Bedeutsamkeit genuiner Mythen besitzen. Im Hinblick auf diese Befunde möchte man daher eine Definition des Mythos vorziehen, die nicht seine "Narrativität", sondern seine "Ikonizität" in den Vordergrund stellt: Mythen sind zu Geschichten
entfaltete Ikone (Konstellationen, "Beziehungsbilder"), die sich, ohne ihre
Identität zu verlieren, wieder in die reine Ikonizität zurückziehen können.
In Mesopotamien und Griechenland prägt sich das in einer besonderen Nähe
des Mythos zur Bildkunst aus; das ist in Aegypten charakteristisch anders:

der Bilderzyklus des Neuen Reichs "steht tatsächlich als illustrierter Mythos ... allein" (122). Das Bild als mythische Aussage (123) ist in Aegypten eine Seltenheit - nur der Bildtyp der "stillenden Gottesmutter mit dem Kinde" lässt sich zu unserem Mythos in Beziehung setzen (124) - aber in den Texten kommen die "Ikone" nicht nur vielfältig zu Wort, sondern bilden geradezu ein Grundmuster polytheistischen Denkens (125).

Für die Konstanz der Ikone und ihrer Bedeutung ist der christliche Weihnachtsmythos ein Beispiel. Hier handelt es sich weniger um ein "Nachleben" ägyptischer Konstellationen als um eine Art Wiedergeburt, ein "neues Leben" in veränderten Bedeutungszusammenhängen, eine Wiederverwendung, die an die zu Kirchen umgebauten Tempel erinnert. Die drei zentralen Bedeutungsgehalte, die sich in Aegypten mit der Kind-Imago verbanden, verbinden wir auch heute noch mit dem Krippenkind, wenn auch teilweise christlich umgedeutet.

1. Die Erneuerung der Zeit und der Fruchtbarkeit, die zur-Weltkunft des Gottessohns als "Heilswende" im Sinne nicht der Erlösung vom Bösen sondern der Wiederherstellung eines ursprünglichen Zustands;
2. Der Antritt der Herrschaft, christlich umgedeutet mit Bezug auf ein Reich, das nicht von dieser Welt ist, aber trotzdem weiterhin bezogen auf
3. Friede auf Erden. Ueber die zentrale Bedeutung des Friedensmotivs in den jüdisch-hellenistischen, römischen und frühchristlichen Ausprägungen der Kind-Imago hat Eduard Norden alles Nötige gesagt (126). Es lässt sich aber, wie ich meine, zeigen, dass bereits im ägyptischen Geburtsmythos, seit Hatschepsut, der utopische Gedanke des Weltfriedens im Zentrum steht.

Das Friedensmotiv ist von dem der Herrschaft nicht zu trennen. Frieden wird in Aegypten ursprünglich in dem "Ikon" der Vereinigung der beiden Länder gedacht. Seit Hatschepsut ist aber in den mit unserem Zyklus verbundenen Texten darüber hinaus auch in sehr betonter Weise von "allen Ländern" die Rede (127). Darin äussert sich gewiss kein imperialistisches Programm, wie es zur Politik der Hatschepsut am allerwenigsten passen würde, sondern die utopische Idee der globalen Befriedung, die man sich in der Form der dem Kinde verheissenen Weltherrschaft dachte. Von diesen Bezügen ausgehend möchte man es doch für alles andere als zufällig halten, dass uns der Bildzyklus der Geburt des Kindes gerade bei denjenigen Königen erhalten ist, die eine ausgeprägte Friedenspolitik verfolgt haben: Hatschepsut, Amenophis III. und Ramses II. (127) . Auch auf das auffällige Hervortreten der Kind-Imago in der

Ikonographie Amenophis' III., und gelegentlich auch bei Ramses II., könnte von daher Licht fallen (128). Vor allem aber ist es die Amarnazeit, deren königliche Ikonographie in einer bisher wenig beachteten Weise von den Grundkonstellationen dieses Mythos und der Kind-Imago beherrscht wird (129). Der Zusammenhang mit der Friedensidee, andererseits aber auch das Fehlen jeglicher narrativer Entfaltung dieses Ikons, ist hier besonders evident. Das Mythologem oder Symbol (auch hierfür scheint "Ikon" das beste Wort) vom "Gott auf der Blüte", das seine Formung ebenfalls der Amarna- oder frühesten Nachamarnazeit verdankt (130), verweist in seiner Herausstellung des göttlichen Kindes ebenso auf den Zeitgeist, wie Sethos I. mit seiner Proklamation einer "Renaissance" (whm mswt: Wiederholung der Geburt): der Anbruch einer neuen Zeit.

Damit ist ein Sinn-Komplex gewonnen, der - anders als die herkömmliche Erklärung als Proklamation der königlichen Legitimität - auch für die spätzeitliche Ueberlieferung gilt und sich sogar über Aegypten hinaus mit dem "Ikon" des göttlichen Kindes verbindet. Erst von dieser gemeinsamen semantischen Basis her werden sowohl die Langlebigkeit als auch die Transformationen des ägyptischen Mythos verständlich.

Anmerkungen

1. Drei Bücher der letzten Jahre mögen das belegen: C. Lévi-Strauss, Mythos und Bedeutung; H. Blumenberg, Arbeit am Mythos; H. Poser (Hg.), Philosophie und Mythos.

2. Besonders verpflichtet fühle ich mich G. Kirk, Myth und W. Burkert, History and structure.

3. Einen Ueberblick über den Bestand gibt Gardiner, Chester Beatty I, 8f.

4. Eigentlich religiöse Aufzeichnungen wie das Buch von der Himmelskuh und das Denkmal memphitischer Theologie sind die Ausnahme gegenüber Ausschnitten im Heilungszauber und den dezidiert profanen Erzählungen der ramessidischen Unterhaltungsliteratur. Für Einzelheiten s. meinen in n.5 zit. Aufsatz.

5. Assmann, GM 25 (1977).

6. Jedenfalls setzen gewisse Pyramidentexte wie Nr. 477 vgl. Sargtext 837 bestimmte Grundsituationen oder "Konstellationen" im Sinne von S. voraus, in diesem Fall den Thronfolgeprozess zwischen Osiris (später: Horus) und Seth. Damit ist allerdings, wie ich am Schluss dieser Studie zeigen möchte, noch keineswegs der gesamte Mythos präsupponiert, da diese Konstellationen eine Art von Eigenbedeutsamkeit ausserhalb fixierter narrativer Zusammenhänge besitzen. Die frühen Bezeugungen des Osiris-Mythos bilden das Thema einer Basler Dissertation von L. Spycher.

7. Assmann, AHG Nr. 220, Vers 19; GM 25 (1977) 38.

8. GM 25; Liturgische Lieder, 333-359; Vaterbild, 29ff.

9. S. Schott, StudGen 8 (1955), 285-293; E. Otto, Rite und Mythos. Sogar H. Blumenberg spricht bereits vom "ägyptologischen Modell der narrativen Auslegung von Ritualen" (Arbeit am Mythos, 180).

10. Ich nenne diesen Sprachverwendungstyp daher zum Zwecke besserer Unterscheidung nicht "mythisch", sondern "sakramental". In sakramentaler Sprache wird z.B. die Nahrungsaufnahme einem Himmelsaufstieg, und der Sonnenuntergang einer Grablegung gleichgesetzt: beidemale geht es um die Verknüpfung von Sinn-Dimensionen. Die "Mythisierung der Rituale" ist in dieser Hinsicht eine "sakramentale Ausdeutung", vgl. GM 25, 15-23.

11. Assmann, in: H. Tellenbach (Hg.), Vaterbild, 29-41.

12. F. Daumas, Mammisis, 243, 246, 251 n.2, 262 u.ö.

13. H. Brunner, Gottkönig. Ein ägyptischer Titel ist hier nicht überliefert. Gegen Brunners Auffassung der Ueberlieferung als Mythos (und nicht als Ritual) hat S. Morenz, FuF 40 (1966) 366-371 Bedenken angemeldet. Ich halte diese Unterscheidung für müssig und mit L. Honko, W. Burkert u.a., wenn auch nicht in dem engen Sinne von Th. Gaster, Rituale für die typischen Anwendungskontexte von Mythen.

14. E. Norden, Die Geburt des Kindes (1924) ist eine monographische Interpretation von Vergils 4. Ecloge, die auf Aegyptisches passim, auf unseren Mythos speziell aber auf S. 116-137 eingeht ("ein Gott-Königsdrama"). Von ägyptologischer Seite greifen weiter aus E. Brunner-Traut, in Antaios 2 (1961) 266-284, und H. Jacobsohn, Eranos-Jb 1968 (1970) 411-448.

15. PM II^2 348f. mit weiterer Lit.; Edition Naville III 46-55.

16. PM II^2 326f.; Edition Brunner, Gottkönig, Tf.1-15.

17. PM 347f., Naville III 56-64; Urk IV 242-265.

18. PM 327 (154).
Aus dem NR sind noch zwei weitere Fassungen fragmentarisch erhalten, auf die Brunner, 7-9 zusammenfassend eingeht:
M Einzelne in Medinet Habu verbaute Blöcke aus dem Ramesseum
K Tempel des Chonspechrod vor dem Muttempel in Karnak: Nordwand des Hofes (PM II^2 271 mit Plan XXVI). Im unteren Register sind 8 Szenen anzusetzen; Reste von 7 sind erhalten. Von links nach rechts: 1 = XIIB (Aufzucht durch Ka und Hemuset-Genien); 2 = XI (?) 3 = X; 4 zerstört, ob IX?; 5 = XV; 6 = XIV; 7 = XII; 8 = XIII. Im zerstörten oberen Register haben die Szenen I - VIII oder IX Platz gefunden. Die ursprüngliche Fassung entsprach in der Monumentalität des Massstabs D und L. Die Datierung in die XXI. oder XXII. Dyn. ist eine Verlegenheitslösung und stellt nur den spätest möglichen Ansatz dar. Stilistisch würde man eher an die XIX. Dyn. denken.

19. Vgl. dazu S.   . In der Spätzeitfassung findet sich diese Verheissung in Szene II B im Munde der Mesechnet, s. Daumas, Mammisis, 445f. In Luxor beginnt der Zyklus mit einer ganz anderen Szene, die sonst nie vorkommt: Hathor umarmt die Königin. Ueberhaupt spielt Hathor in der Luxor-Fassung eine auffallende Rolle. In den Szenen VI und VIII ersetzt sie die Geburtsgöttin Heket.

20. Luxor: Hathor.

20a. Sehr präzise Brunner, 81: "Also nicht die Geburt eines Kindes verkündet Thoth der Königin - das hat ja bereits Amun selbst getan und dabei sogar den Namen des Kindes genannt - sondern die Zufriedenheit des Gottes, die sich in diesbezüglichen Titeln ausdrückt."

21. Der urspüngliche Sinn der Szene ist wohl die Reinigung des Kindes und des Geburtshauses nach Ablauf der Frist. Milchgott und Nilgott sind Personifikationen der reinigenden Substanzen. In Der el-Bahri und in Szene II E der Spätzeitfassung wird das gereinigte Kind den Göttern vorgeführt. Brunner, 135ff.

22. Die scheinbare Verdoppelung der Szene der väterlichen Anerkennung erklärt sich folgendermassen: unmittelbar nach der Geburt nimmt der Vater das Kind in die Arme mit den Worten: "Das bin ich" (jnk pw), vgl. Assmann, Liturg. Lieder, 99 m.n.71. Damit erkennt er sich selbst in dem Kind wieder, was ja wohl auch in der ständig wiederholten Formel von der "Leibeseinheit" (m ḥᶜw wᶜ) von Vater und Sohn zum Ausdruck gebracht werden soll. Diese "intime Anerkennungsszene" erscheint auch in der Spätzeitfassung als II C unmittelbar nach der Geburt. Der Zuspruch der Vaterschaft wird später noch einmal öffentlich wiederholt, wenn der König sein erstgeborenes Kind als Kronprinzen vorstellt. Dafür nimmt er es vor versammeltem Thronrat auf den Schoss und küsst es, vgl. z.B. Urk IV 255-257; Inscription dédicatoire Kitchen, RI II, 327; pD'Orb 18,10 (Stichwort rnn). Diese Szene gehört also in den Zusammenhang einer "Ausstellung" des Kindes (Epiphanias), wie sie der Sequenz XIII-XV oder gar XVII zugrundezuliegen scheint, in der sich der Schauplatz des Geschehens aus der Wochenstube (IX-XII) nach draussen verlagert. Hinter der Institution der väterlichen Anerkennung, d.h. des ausdrücklichen Zuspruchs der Vaterschaft, steht die Vorstellung, dass die Vaterschaft auf der rein biologischen Ebene noch nicht im vollen Sinne gegeben ist und des bewussten sprachlichen Vollzugs bedarf, ebenso wie sie auch als aufkündbar verstanden wird, wenn sich die "Ebenbildlichkeit" des Kindes in seiner Handlungsweise nicht erweist, vgl. hierzu Assmann, in: H. Tellenbach (Hg.), Vaterbild, 12ff. Die ständigen Versicherungen "Ich bin dein Vater - du bist mein lieber Sohn", wie sie ein Grundthema der ägyptischen Gott-König Reden bilden, haben ihren Ort in dieser Szene einer öffentlichen Proklamation der Gottessohnschaft, die nicht nur als Szene XIV in den Kontext unseres Zyklus gehört, sondern wie alle diesem Mythos zugrundeliegenden "Konstellationen" ganz unabhängig von jedem narrativen Zusammenhang Eigenbedeutsamkeit und entsprechende Strahlkraft besitzt. In diesem Sinne sehe ich Zusammenhänge mit Ps 2,7 und Luk 3,22. Vgl. hierzu M. Hengel, Sohn Gottes, 38 f. Das Pendant zu dieser Szene oder Konstellation bildet die Säugung (Szene

XII), mittels derer das Kind in das Kindschaftsverhältnis zur Himmels-
und Muttergottheit und zu den Kronengöttinnen aufgenommen wird, s.dazu u.
S. 23 und 37f.

23. So nach Luxor; in der Spätzeitfassung wird die entsprechende Szene (II F)
als Einführung zu Heka gestaltet; hier spielt also der Gott des Zaubers
und die Ausstattung des Königs mit magischen Kräften die Hauptrolle. Die
ursprüngliche Bedeutung der Szene als Beschneidung ist nur von der Var.
im Tempel des Chonspechrod beim Muttempel verstanden worden - Brunner,
162ff. Die Bedeutung des Anubis und seiner (in Luxor fehlenden) Scheibe
bleibt dunkel, aber alle Var. halten an ihm fest. In der Spätzeit wird
sie in Dendara als Mond, in Edfu als Tamburin gedeutet.

24. Die 15 Szenen des unteren Registers von Der-el-Bahri stehen in Luxor auf
der Westwand. Die beiden Szenen des oberen Registers, die ich mehr vor-
sichtshalber und im Hinblick auf die spätzeitliche Tradition in die Betrachtung einbeziehe, bilden das oberste Register der Südwand und sind
dort auf 3 Szenen erweitert:
   1. Reinigung durch Month und Atum
      (Gayet, Temple fig. 183)
   2. Prozession in der Sänfte
      (Gayet, fig. 185)
   3. Präsentation des jungen Königs durch Amun
      vor den Seelen von Buto und Hierakonpolis
      (Gayet, fig. 183+184).
Dazu gehören von den Szenen der Südwand in den weiteren Zusammenhang unseres Zyklus noch die erste (rechte) Szene des mittleren Registers, Thoth
vor der Neunheit = II G der Spätzeitfassung und die zweite (linke) Szene
des untersten Registers, Mut und Amun mit dem Kind auf dem Schoss = II C
der Spätzeitfassung vgl. X+XI.

25. Das wird auch unabhängig von dieser Ueberlegung in der graphischen Anordnung der 15 Szenen in Der-el-Bahri und Luxor realisiert, wo IX jeweils
das Zentrum bildet. Allerdings scheint in Der-el-Bahri der "Auftritt
des Amun" nicht zu Szene IX zu gehören, sondern, genau wie in den Mammisi
der Spätzeit, als eine eigene Szene zwischen VIII und IX aufgefasst worden
zu sein. Es ist diese Szene, die räumlich genau im Zentrum der Komposition
steht.

26. In Der-el-Bahri kommt diese Beziehung von Anfang und Ende in der Anordnung
der Szenen sehr augenfällig zum Ausdruck. Die beiden Szenen, die Hatschepsut

letztmals als kleines Kind zeigen, und die wir hier als Schlussszenen
in den Zyklus hineinnehmen, stehen auf der Südwand genau über der Eingangsszene. Erst auf der Westwand beginnen dann die Szenen der Jugend
und Krönung. Das hat auch J. Osing, in Gs Otto (1977), 361f. sehr klar
hervorgehoben.

In K erfüllt die Szene XIII die Funktion der Schlussszene: "Nil-" und
"Milchgott" präsentieren hier das Kind der Neunheit von Karnak. Deshalb
ist diese Szene ans rechte Ende des Registers gerückt. Die Spätzeittempel
greifen diese Fassung auf. Auch hier übernimmt II E als var. von XIII die
Funktion der Schlussszene: der Präsentation des Kindes vor dem Gremium,
dem seine Geburt eingangs verkündet worden war.

26a. S. Assmann, GM 25, 15ff.

27. J. Settgast, Untersuchungen zu altägyptischen Bestattungsdarstellungen
(Abh DAIK 3, 1963).

28. Brunner möchte nur gelegentliche Zitate aus verschiedenen Ritualen gelten
lassen (Gottkönig, 172), weil er in dem ganzen einen Mythos ohne jegliche
rituelle Grundlage erkennen will. Erst in der Spätzeit sei der Mythos dann
gespielt worden: "aus dem nur berichtenden Mythos wird zugleich ein in
den Mammisi ablaufender Ritus". In Aegypten werden aber, wenn man von diesem Fall absieht, niemals Mythen bildlich dargestellt. Dargestellt werden
immer nur rituelle Handlungen, und auch der Bildzyklus des Neuen Reichs
gibt sich in seiner äusseren Aufzeichnungsform als ein Ritual. Mit dem
an den Bestattungsdarstellungen gewonnenen Begriff des "Fiktiven Rituals"
möchte ich aber trotzdem an dem fiktionalen Charakter der dargestellten
Handlungen und damit an Brunners Deutung im wesentlichen festhalten.
Damit ist aber noch nichts über die Funktion der benutzten alten Vorlagen
entschieden. Auch für die Bestattungsdarstellungen muss man davon ausgehen, dass diese Riten irgendwann, vermutlich im Alten Reich, einmal
tatsächlich durchgeführt wurden. So muss auch der Bildzyklus des NR einen
rituellen Kern haben, auch wenn mir die Rekonstruktionsversuche von Morenz
und Barta zu weit gehen.

29. Jacobsohn, Eranos Jb. 1968 (1970) 429 spricht mit Bezug auf Luk 3,22
von einer "mystischen Neuzeugung". Der gleiche Gedanke kommt auch in dem
"heute" von Ps 2,7 zum Ausdruck. Die angestrengte alttestamentliche Unterscheidung zwischen einer ägyptischen "physischen" und einer israelitischen
"adoptianischen" Konzeption der Gottessohnschaft geht m.E. am Kern der
Sache vorbei, wenn damit gemeint ist, dass die einen den biologischen,

die anderen den juristischen Aspekt dieser Konstellation verabsolutieren. Beiden geht es vielmehr um ihren geistigen Sinngehalt, vgl.n.22 und Tellenbach (Hg.), Vaterbild, 41-49 (Assmann) und 142ff. (G. Bornkamm). In der Amarna-Religion wird übrigens das "heute" der mystischen Neuzeugung am Krönungstag dahingehend umgedeutet, dass der Sonnengott den König "Tag für Tag" mit seinen Strahlenhänden neu zeugt, die ihm das Lebenszeichen an die Nase halten wie Amun der Königin in Sz. IV, s.dazu Zabkar, JNES 13 (1954) 89-91.

30. Zusammenfassend Daumas, in LÄ II 462-475.

31. Daumas, Mammisis, 236-284. In Kom Ombo fanden die entscheidenden Riten am 11. Pharmouti und am 1. Pachons statt (240-242), in Esna beginnen die Festlichkeiten am Vorabend des 1. Pachons und scheinen sich bis zum 22. Pachons fortzusetzen (244-252), wobei die eigentliche Gottesgeburt am 1. Pachons stattfindet und die weiteren Festlichkeiten der Aufzucht und Krönung des göttlichen Kindes dienen. Zwei Monate später, am 1. Epiphi, wurde die Geburt des Kindes wiederholt (251). In Edfu liegen die Hauptfestlichkeiten zwischen dem 11. Pachons und dem 2. Paoni (262-264), ebenso in Dendara (277-283). Allein aus diesen Daten ergibt sich schon ein Hinweis auf das thebanische Minfest, das im NR im Monat Pachons gefeiert wird und sich ganz offensichtlich um dieselben Sinngehalte dreht wie die spätzeitlichen Geburtsfeste der Kindgötter: die Geburt des Gottes, die Erneuerung der Fruchtbarkeit und Königskrönung, s.hierzu Gauthier, Fêtes, Bleeker, Geburt und vor allem Jacobsohn, Dogmatische Stellung, 29-40, der die königstheologische Sinn-Dimension dieses Festes und seine Beziehungen zu unserem Mythos sehr deutlich herausgearbeitet hat.

32. Daumas, LÄ II 466-472, vgl. auch S. Sauneron, Esna V, 186-188.

33. Damit soll weder gesagt sein, dass die Geburt des Gottes nicht im Verlauf des Tempeljahres wiederholt gefeiert wird, noch, dass das Mammisi im Verlauf dieses Jahres nicht auch Schauplatz aller möglichen sonstigen Begehungen sein kann. Der Festkalender für die Mammisi ist sehr kompliziert; unsere vereinfachende Bemerkung bezieht sich auf das, was sich als das wichtigste dieser Feste herauszuheben scheint.

34. Daumas, Mammisis Dendara, 6-20, Tf. II-IV.

35. Junker-Winter, Geburtshaus, 97-111.

36. Chassinat, Mammisi, 7-34, Tf. XII-XV.

37. Daumas, Mammisis Dendara, 101-136, Tf. LVIII-LXbis.

38. Daumas' grundlegende Darstellung, Mammisis 285-487 geht weniger von
der konkreten Anordnung der Szenen auf den Wänden, als von der von den
Bildzyklen des NR und von logischen Ueberlegungen her vorgegebenen
sequentiellen Ordnung der Szenen aus.

39. Die Luxor-Var. dieser Szene, in der Hathor statt Heket auftritt, erscheint
in DR und E eigenartigerweise zugleich mit der Normalform.

40. Dahinter schalten DN und DR noch eine entsprechende Szene ein, in der
Chnum verkündend vor Hathor tritt. Die Szene ist wohl aus der Segensrede
heraus entwickelt, die Chnum in Sz. VIII der alten Fassung (Der-el-Bahri)
ausspricht; Brunner, Geburt, 85 VIII D c.

41. In DN und DR schliesst hier eine Darstellung Amuns in Gegenzyklusrichtung
an, aber wohl nicht im Sinne einer eigenen Szene, die kaum aus nur einer
Person bestehen kann (Daumas' "scène VIII: deuxième entrée d'Amon"). Szene
I F wird hier vielmehr als eine "Einführung zu Amun" aufgefasst, um das
Register auch ästhetisch sinnvoll abzuschliessen.

42. Dieser Szene entsprechen im Zyklus des NR zwei Szenen: X und XI.
In der Spätzeit ist daraus in II C eine intime Familienszene geworden.
Hathor, jetzt als Mutter, und Amun sitzen sich gegenüber. Amun mit dem
Kind, das er küsst, auf dem Schoss. Die Aehnlichkeit dieses Bildgedankens
mit den "Familienszenen" der Amarnakunst tritt hier sehr viel stärker
hervor als in den Szenen X und XI des NR, beruht aber gewiss nicht auf
Zufälligkeit (vgl. auch n.29).

43. Dieser unterscheidende Zusatz ist wichtig, um die Szene von den zahllosen
Darstellungen der stillenden Gottesmutter in den Mammisis abzuheben.

44. Diese Szene hat in DN und Ph einen ausführlichen Titel, der ihren Charak-
ter als Präsentation und Reinigung hervorhebt:
"Einführung (bz) des Kindes zur Grossen Neunheit,
die es zum König Aegyptens und Herrscher der Wüste machen.
Zweimal rein ist König Ihi, der Grosse, Sohn der Hathor,
durch die Milch, die aus seiner Mutter herauskommt."
Die Szene schliesst also sinnvoll an die Säugung an, als Bestätigung des
durch die Muttermilch erworbenen Königtums. Für den Zusammenhang von
"Reinigung" und "Einführung" im Zusammenhang der Krönung s. den berühmten
Aufsatz von Gardiner in JEA 36 (1950) 3-12.

45. Der ursprüngliche Charakter dieser Szene als Beschneidung ist überall
verloren gegangen. In Ph und DN wird nicht das göttliche Kind, sondern

der erwachsene König (ohne Kronen) von Chnum und Heket zu Heka, dem Gott des Zaubers, geführt, begleitet von dem seine Scheibe rollenden Anubis. In DR treten Thoth mit Jahresrispe und Anubis mit der Scheibe vor die stillende Gottesmutter (Isis). Anubis verheisst dem Kinde leibliche Verjüngung "wie der Mond am Monatsanfang"; hier wird also die Scheibe als Mond aufgefasst. In E tritt Anubis mit der Scheibe als Tamburin vor "Iun, den Grossen Gott in Behedet" und Isis als stillende Gottesmutter im Baum (= das Papyrusdickicht von Chemmis). Isis bedankt sich bei Anubis für seine die Dämonen abwehrende Musik.

45. In Ph fordert Thoth Amun auf, zu kommen und seinen Sohn anzuschauen; in DN freut sich Amun über den Anblick seines Sohnes; in DR und E ist das Kind sogar dargestellt: in DR auf den Armen von Isis und Osiris, der hier als "anerkennender Vater" im Sinne von II C auftritt, und in E auf dem Schoss der stillenden Gottesmutter. Ueberall ist also ihr Charakter als Einleitung verloren gegangen. Das Kind ist bereits geboren, und die Götter werden zur Huldigung herbeigerufen oder huldigen ihm bereits.

46. Das Vorbild dieser Szene sehe ich in Luxor, Südwand, mittleres Register, rechts (PM II^2 327   154   II 1), vgl. n.24. Die entsprechende Rede des Thoth vor der Neunheit findet sich in DR 106 im Zusammenhang einer ganz anderen Szene. In Edfu findet sich rechts im obersten Register der Südwand eine Szene, in der Thoth nicht der Neunheit, sondern der Menschheit (Pat, Rechit, Henmemet) und den "Seelen der heiligen Orte" den jungen König präsentiert (Chassinat, 22), vgl. hiermit die Szene links im obersten Register der Südwand in Luxor (PM [154] I 3).

47. Daumas, Mammisis, 437f., 452-457.

48. Auch in Luxor findet sich links im untersten Register der Südwand bereits eine Anerkennungsszene, die auf die lokalen theologischen Gegebenheiten Bezug nimmt, denn hier sitzt nicht Hathor, sondern Mut dem Amun, der das Kind auf dem Schoss hält, gegenüber (PM II^2 327 [154] III 2).

49. Wohl aus der alten Szene XII entwickelt, wo ebenfalls Uto und Nechbet auftreten, s. Brunner, Geburt, 128f. zu XII D a und 130 zu XII L e mit note (a). Zu Seschat und Thoth vgl. die Szene Der-el-Bahri, Naville Tf. LX.

50. Vgl. n.41. In Ph gehört diese Darstellung Amuns zu IIB.

51. Ptah bildet das Kind im Beisein der sieben Hathoren. Auch im Tempel von Hibis aus der Perserzeit wird Ptah als Bildner des Kindes dargestellt,

s.dazu Daumas, Mammisis, 413f.

52. Die Anerkennungsszene wurde hier dadurch auf Registerformat ausgedehnt, dass der auf Hathor mit dem Kind zugehende Harachte von Thoth und vierzehn Ka- und Hemuset-Genien begleitet wird, die ebenfalls das Kind im Arm tragen.

53. Vgl. n.46.

54. Vgl. n.45.

55. Zur Institution des Reichsgottes s.J. Assmann, in: W. Westendorf (Hg.), Aspekte der spätägyptischen Religion, 18-26.

56. Gewiss nicht für alle Mythen; man wird sich hüten, diese Identität von Gestalt und Geschichte in die Definition eines Mythosbegriffs hineinnehmen zu wollen. Aber vielleicht darf man einen bestimmten Typ von Mythen dadurch kennzeichnen, dass sie als Schicksal einer Gestalt erzählt werden, von der sie nicht ablösbar sind (ohne zu "Motiven" zu degenerieren, d.h. ihre Bedeutung zu verändern): Gilgamesch, Osiris, Herakles, Prometheus, Oedipus, Don Juan, Faust usw.

57. Der "Segen des Ptah", vgl. u. S. 34-37.

58. Plutarch 62 b, zit. bei Daumas, Mammisis, 401.

59. Amun ist kein Luftgott, wie Sethe meinte und wie man immer wieder lesen kann, sondern ein Lebensgott, der luftartig alles durchdringt. Der Wind ist die sinnfälligste Metapher seines zugleich transzendenten und innerweltlichen, verborgenen und sinnfälligen Wirkens. Er ist der verborgene Beleber der Welt, von dem auch die Götter ihr Leben empfangen. Dieser Gottesbegriff ist der 18. Dyn. noch fremd, aber hier verdankt Amun seine Rolle in dem mythischen Spiel seiner Funktion als Reichsgott. Zu Amun und Pneuma s.E. Norden,Geburt des Kindes, 76-92. Reiche Belege bei Sethe, Amun.

60. Daumas, Mammisis, 429f.

61. Wobei die Kartuschen leer gelassen wurden. "Pharao" ist hier als Rolle, nicht als Person gemeint, vgl. Otto, Biogr. Inschr., 110 und Kaplony, LÄ II 614 m.n.64-65.

62. Es ist evident, dass Vergils Ecloge im Banne dieser spätzeitlichen Auslegung des Geburtsmythos steht.

63. W. Burkert macht darauf aufmerksam, dass der ägyptische Geburtsmythos und seine engste griechische Variante, der Amphitryon-Mythos, an einen

Schauplatz gebunden sind, der auf griechisch "Theben" genannt wird. Er
sieht darin einen möglichen Hinweis für das noch immer ungeklärte Problem,
worauf sich der griechische Name der ägyptischen Stadt gründet. S.Mus.Helv.
22 (1966) 168f.n.6.

64. Für eine ausführliche Analyse der Unterscheidung zwischen "Wiederholung"
(Ritual) und "Vergegenwärtigung" (Mythos) s.GM 25, 15-28. Der Gedanke,
im Festspiel die Komplexion beider Prinzipien zu sehen, führt die dort
angestellten Ueberlegungen weiter.

65. Eine Klärung dieser Frage darf von einer Tübinger Dissertation von Heike
Sternberg erwartet werden.

66. Daumas, LÆ II 1035 mit weiterer Literatur.

67. Ders., a.a.O., 1031 m.n.27.

68. M. Alliot, Culte, 677-822; H.W. Fairman, Triumph; W. Schenkel, Kultmythos.

69. J.G.w.Griffiths, Conflict.

70. Brunner, Geburt, 168.

71. Im Vergleich mit Ueberlieferungen, wie sie etwa O.Rank, Geburt des Helden,
und L. Bieler, Theios Aner behandeln, fällt der Unterschied sofort ins
Auge.

72. So bereits bei E.Brunner-Traut, Antaios 2 (1961) 271.

73. W. Burkert wies in MusHelv 22, 168 n.6 auf die auffallende Parallele
zum Amphitryon-Mythos hin, wo Zeus von Hermes zu Alkmene geleitet wird
"während sonst die Götter einschliesslich Zeus allein auf ihren polygamen
Wegen wandeln."

74. Auch dies hat die Amphitryon-Geschichte übernommen, s.Burkert, a.a.O.

75. Urk IV 751.16.

76. Ich verwende den Ausdruck "Dogma" im unscharfen Sinne von "theologischer
Wesensaussage" und nicht etwa im eigentlichen Sinne von "orthodoxem
Lehrsatz", der abweichende Aussagen ausschliesst. Die oft drastische
"Biotik"der ägyptischen mythologischen Erzählungen, die übrigens in dieser
Hinsicht an ugaritische und mesopotamische Mythen erinnern, gehört nicht
zum Wesen der ägyptischen Götter, sondern zum Wesen des Erzählens (Assmann,
LÆ II 769f.). Zum Zwecke des Erzählens, im Sinne narrativer Funktionen,
werden daher auch die Szenen der "Erkundigung" und der "Verwandlung" ein-
geführt.

77. Für alle Einzelheiten s. die sehr genaue Analyse von Brunner, Geburt, 167-206, bes. 167-169.

78. A. Erman, Die Märchen des Papyrus Westcar, Berlin 1890; E. Brunner-Traut, Altägyptische Märchen, 19-24.

79. Der 1. Tag des 1. Wintermonats gilt als idealer Krönungstag, s. H.W. Fairman, in: S.H. Hooke (Hg.), Myth, Ritual and Kingship, 78, Frankfort, Kingship, 79.

80. Auch in den Bildzyklen des NR und der Spätzeit spricht Mesechnet die Verheissung des künftigen Königtums des Neugeborenen aus, s.Brunner, Geburt, 98ff. IX D b; Daumas, Mammisis, 445. Zu Mesechnet vgl. die eindringenden Bemerkungen G. Fechts, ZÄS 105 (1978) 21-35, ferner M.Th. Derchain-Urtel, Synkretismus in äg. Ikonographie, GOF IV.8, 1979, 23ff.; J.Quaegebeur, Le dieu Egyptien Shai dans la religion et l'onomastique (Leuven 1975), 92-94.

81. So auch E. Brunner-Traut, Antaios 2 (1961) 274; Altägyptische Märchen, 256 n.12 zu Nr. 3.

82. Zur Metaphorik der kostbaren Substanzen vgl. den "Segen des Ptah", u.S. Abschnitt V.

83. Das ist allerdings nicht mehr und nicht weniger als die normale Umschreibund der Rolle Pharaos, dessen wichtigste Aufgabe es eben ist, den Verkehr mit den Göttern aufrecht zu erhalten. Als Beispiel für unzählige Stellen verweise ich auf die Königswahlstele des Aspelta, wo in ständiger Wiederholung dieser Formeln ein König gesucht und gefunden wird, "der uns am Leben erhält, der den Göttern Tempel baut und ihnen Opfer darbringt" (Urk III 91-95, passim).

84. So versteht G. Posener, Littérature et politique, 10-13 das Cheops-Bild des pWestcar, vgl. auch S. Morenz, Traditionen um Cheops, ZÄS 97 (1971) 111-118. Anders D. Wildung, Die Rolle ägyptischer Könige, 159-161, der diese Aspekte m.E. zu stark herunterspielt. Freilich ist für den Aegypter der klassischen Epochen der Begriff eines "gottlosen Tyrannen", der als legitimer Herrscher auf dem Pharaonenthron sitzt und (im Unterschied etwa zu Echnaton und anderen) in den Königslisten geführt wird, absolut undenkbar. Der an das deuterenomistische Geschichtsbild erinnernde Begriff eines schlechten Königs findet sich in Aegypten erst in der Spätzeit, am deutlichsten in der "Demotischen Chronik", vgl. dazu Assmann, Königsdogma und Heilserwartung. Das ist der Grund dafür, warum sich die Erzäh-

lung des pWestcar so vorsichtig, ja verschlüsselt ausdrückt.

85. Aristoteles, Poetik 6-8, 1450a3ff., b2ff., s.W. Burkert, History and
Structure, 6 mit n.6 auf S. 146 mit weiterer Lit. In der modernen Narra-
tivik erscheint der Aristotelische Dreischritt in einer Fülle von Ab-
wandlungen, vgl. E. Gülich, in: E. Gülich, W. Raible, Linguistische Text-
modelle (1977), 192ff., bes. 202ff. (Brémond) und 250ff. (van Dijk). Es
handelt sich um ein Strukturprinzip der Erzählung, nicht des Mythos.

86. Zur Inversion von Ausgangs-und Endsituation als Prinzip thematischer Ko-
härenz in Erzähltexten s. die auf Lévi-Strauss und A.J. Greimas basierende
thematische Analyse der Brüdermärchens, die ich in ZDMG Suppl. III.1
(1977), 6-11 und ZÆS 104 (1977) 16-14 durchgeführt habe.

87. O. Weinreich, Der Trug des Nektanebos; R. Merkelbach, Die Quellen des
griechischen Alexanderromans; E.Brunner-Traut, Altägyptische Märchen,
157-163; J.Gw. Griffiths, in: D. Hellholm (Hg.), Apocalypticism (im Druck).

88. Bei der Geburt spielt Nektanebos die traditionelle Rolle der Mesechnet
und weissagt anhand der Gestirne den künftigen Weltenherrscher. Philipp
erkennt aus dem bei der Geburt sich ereignenden Erdbeben die göttliche Abkunft des Kindes und weist es (im Sinne von Szene XII des Zyklus, bzw.
II D der Spätzeitfassung) den Göttern zur Aufzucht zu.

89. Vgl. Weinreich, a.a.O.

90. Die eigentliche und "ernsthafte" Fassung kommt gelegentlich in der Verdoppelung von Motiven zum Vorschein. So wird Philipp einmal - auf der
Ebene des "Schwanks" - durch einen inszenierten Traum, das andere Mal -
auf der Ebene des Mythos - durch ein wirkliches (wenn auch natürlich
fiktionales) Erdbeben von der göttlichen Abkunft seines Sohnes unterrich-
tet. Auch hier stossen wir also wieder auf Widersprüche, in denen die
Geschichte in ihrer uns überlieferten Form über sich hinausweist.

91. Für eine ausführliche Darstellung dieser Konzeption s.H. Tellenbach (Hg.)
Vaterbild, 29-46. Auf die Herkunft des "Rächer"-Motivs in der Nektane-
bos-Geschichte aus der Harendotes-Gestalt machte J.Gw. Griffiths aufmerksam.

92. S. hierzu H. Jacobsohn, Dogmatische Stellung; Ders., Mythos; Assmann, in:
LÆ IV, 264-266; Tellenbach (Hg.), Vaterbild, 46-49.

93. H. Jacobsohn, Mythos, 414-419; Dogmatische Stellung, 11-15. Zum Brüder-
märchen s.zuletzt E. Brunner-Traut, in: Enzyklopädie des Märchens (1975ff.),
s.v.

94. Vgl. hierfür meine in n.86 angeführten Analysen.

95. Zu diesem Begriff s. E. Norden, Geburt des Kindes, 5.

96. Zum Folgenden s. Assmann, in: D. Hellholm, (Hg.), Apocalypticism (im Druck) mit weiterer Lit.; E. Norden, Geburt des Kindes, 53-56.

97. Posener, Littérature et politique, 156f.; W. Helck, Die Prophezeiung des Neferti, 49.

98. pRainer (G 19813) 38-41 = pOxyrhynchus 2332, 63-67 ed. L. Koenen, ZPE 2 (1968) 180.

99. E. Norden, Geburt des Kindes, 55 n.2.

100. Vgl. hierzu auch W. Helck, in: LÆ II 1086-1092 s.v. "Heile Welt".

101. Kitchen, Ramesside Inscriptions, II fasc. 5, 258-281; H.A. Schlögl, Tatenen, 64-66; M. Görg, Gott-König-Reden, 237-250.

102. Lies: jw.j rḫ. kwj ntk nḏtj<.j>
     twk swt <ḥr> jrt ·3ḫw n k3. j
     Zur Bedeutung der "Rächer"-Funktion des Sohnes s.o.S. 33   m.n.91.
     Zum Stichwort:3ḫ s.Tellenbach (Hg.), 38 m.n.144-146.

103. Vgl. hierzu J. Quaegebeur, Le dieu Egyptien Shai, 159.

104. So nach Abu-Simbel und Karnak; in Medinet Habu verblasst zu nhm "jubeln". Vgl. Kitchen, a.a.O., 264 1-3.

105. Medinet Habu: twt <. tj> ḥr dt.j

106. Brunner, Geburt, Tf. 24a.

107. Arbeit am Mythos, 165ff.

108. Die folgenden Bemerkungen verdanken einige Gedanken Gesprächen mit Rolf Gundlach, der eine ganze Reihe von Felsheiligtümern der 18.Dyn. als Realisationen dessen deutet, was wir hier als "Chemmis"-Konstellation auf die XII. Szene des Geburtszyklus zurückführen, und der diese Deutung in einer Heidelberger Habilitationsschrift ausführt.

109. Zu dem mit dem Verb rnn ausgedrückten Bedeutungskomplex vgl. auch A. Hermann, in MDAIK 8 (1938) 171ff.; Zur "Uebermittlung von Königtum durch Säugen" s. M. Münster, Isis, 142f.; J. Leclant, JNES 10 (1951) 123ff.; Mél. Mar., 264 n.3, 275 n.3; E. Feucht, LÆ III 425 m.n.27-29.

110. Urk IV 239-240.

111. S. hierzu J. Assmann, LÆ IV 266-271 s.v. Muttergottheit. Zur Konstella-

tion von Kuh und saugendem Kälbchen, an dessen Stelle das Königskind tritt, s.o.Keel, Böcklein, 58ff., bes. 76-80 mit Bezug auf Hathorkapelle und Geburtszyklus. E. Feucht-Putz, Die königlichen Pektorale. Motive, Sinngehalt und Zweck. Diss. München 1967, 34-38.

112. So in der Fassung des pOxyrhynchus.

113. Vgl. besonders J. Bergman,Isis, 121-171.

114. Zu den Mammisi als architektonischen Realisationen des mythischen Ortes "Chemmis" (hierzu A. Gardiner, JEA 30, 1944, 52ff.) s. Daumas, Mammisis, 135 ff.; J. Bergman, Isis, 138 n.4.

115. H.P.L'Orange, der in SymbOsl 21 (1941) 105ff. in der Geburtsgeschichte der Drusilla bei Dio Cassius "vier Züge" hervorhebt, "die in Rom besonders fremd und wunderlich erscheinen mussten", nennt genau diese Konstellationen oder Basis-Szenen:

   1. "Empfängnis und Schwangerschaft sind auf übernatürliche Weise (daimonios) vor sich gegangen", "als Vater des Kindes agiert neben Caligula auch der Jupiter Capitolinus".
   2. "Es handelt sich um eine göttliche Geburt."
   3. "Nach der Geburt wird das Kind in den kapitolinischen Jupitertempel gebracht, wo es auf das Knie des Jupiter, 'als sei es sein Kind', gesetzt wird."
   4. "Nach der Darbringung im Tempel wird das Kind der Minerva zur Säugung übergeben.

116. Zur Bedeutsamkeit dieses Aktes, der auch in Vergils 4. Ecloge eine zentrale Rolle spielt, s. E. Norden, Geburt des Kindes, 121-125.

117. Ein Beispiel für eine verselbständigte Konstellation, in der aber der Gesamt-Mythos symbolhaft vergegenwärtigt ist, geben die Ringe aus Meroe mit ihrer Wiedergabe der Theogamie-Szene (IV), s. Brunner, Geburt, 215.

118. Verwiesen sei noch auf die ikonographische Untersuchung dieser "Konstellation" durch H.W. Müller, Isis mit dem Horuskinde, in Münchner Jb. der bildenden Kunst 14 (1963) 7-38.

119. In H. Tellenbach (Hg.), Vaterbild, 38-41; GM 25, 37.

120. L. Honko, in: H. Bierzais (Hg.), The Myth of the State, 15.

121. Am entschiedensten scheint Odo Marquard, in: H. Poser (Hg.), Mythos und Philosophie, 40ff. die Narrativität des Mythos in den Vordergrund zu stellen. Im übrigen scheint aber jede Wesensbestimmung des Mythos, meine

eigene in GM 25 eingeschlossen, von seinem Charakter als Erzählung auszugehen.

122. Brunner, Geburt, 203; vgl. GM 25, 38 m.n.68.

123. Im Sinne von GM 25, 37-43 (Phäno-Text").

124. S. n.118. Vielleicht stehen auch die Darstellungen des Königs in der
Umarmung eines Gottes mit der Konstellation der väterlichen Anerkennungs-
Umarmung in Beziehung, vgl. dazu auch Liturg. Lieder, 103ff.; Denkmal
memphitischer Theologie, 64f. usw., s.a. H. Frankfort, Kingship, 32,
66f., 122, 133-138, 199; Assmann,in: H. Tellenbach (Hg.), Vaterbild,
48f.

125. Vgl. hierzu Liturg. Lieder, 333-359.

126. Vergils 4. Ecloge ist natürlich der locus classicus für den Zusammenhang
von Kind-Imago und Friedensverheissung, vgl. aber auch Jesaia 6 und vor
allem 11. Im übirgen sei für die ausführliche Ausbreitung dieser Zusammenhänge auf E. Norden, Geburt des Kindes, verwiesen.

127. Zur Formel zm3 t3wj m htpw "die Beiden Länder in Frieden vereinigen"
s.Urk 217.3 und Osing, in: Gedenkschrift E.Otto, 367. Die Formel "alle
Flachländer und alle Bergländer", d.h. alle Welt, kommt in den Zyklus-
Texten nicht weniger als dreimal vor: Urk IV 216.16; 230.2; 233.13. Die
vermutliche ursprüngliche Definition des Herrschaftsbereichs findet sich
221.9: "das Königtum in diesem ganzen Lande", vgl. ebenso im pWestcar
10, 13-11.2.

127a.Ich bin mir der Provokation bewusst, die eine derartige Deutung der
Politik Ramses'II. angesichts der zahlreichen erhaltenen Schlachtenbilder
dieses Herrschers darstellt. Die Begründung dieser These erfordert einen
anderen Rahmen; ich hoffe, das bei nächster Gelegenheit ausführlich
darlegen zu können.

128. Z.B. E. Feucht, in LÆ III 425 n.14. E. Feucht verdanke ich auch den Hinweis auf C. Vandersleyen, in Fs. Vergote, 535-542, bes. 541f. Zu Ramses
II. s.H.A. Schlögl, Sonnengott auf der Blüte, 19 m.n.51-52.

129. Vgl. n.29 und 42. M. Eaton-Krauss behandelte auf ihrem Vortrag anlässlich des XXI. Deutschen Orientalistentages in Berlin (März 1980) Fragmente einer Statue, die Echnaton als Kind mit Jugendlocke darstellte.

130. H.A. Schlögl, Sonnengott auf der Blüte, 17ff.

58

Abkürzungen

LÆ   W. Helck, E. Otto (ab II: W. Westendorf) (Hg.), Lexikon der Aegypto-
       logie (Wiesbaden 1972ff.)
       Alle Siglen für Zeitschriften und Reihen richten sich nach der Liste
       LÆ I, XII-XVI.

Literatur

Maurice Alliot,   Le culte d'horus à Edfou au temps des Ptolemées,
                           BE 20, I (1949), II (1954).

Jan Assmann,   Liturgische Lieder an den Sonnengott, MÆS 19
                           (1969)

                           Aegyptische Hymnen und Gebete (Zürich 1975)

                           Das Bild des Vaters im alten Aegypten, in: H. Tel-
                           lenbach (Hg.), Vaterbild.

                           Die Verborgenheit des Mythos in Aegypten, GM 25
                           (1977) 7-43.

                           Königsdogma und Heilserwartung, in: D. Hellholm
                           (Hg.), Apokalyptik (im Druck)

Winfried Barta,   Untersuchungen zur Göttlichkeit des regierenden
                           Königs, MÆS 32 (1975).

Jan Bergman,   Ich bin Isis. Studien zum memphitischen Hinter-
                           grund der griechischen Isisaretalogien (Uppsala
                           1968).

Karl-Heinz Bernhardt,   Das Problem der altorientalischen Königsideologie
                           im Alten Testament, VT Suppl. 8 (1961).

Ludwig Bieler,   θεῖος ἀνήρ   . Das Bild des "göttlichen Menschen"
                           in Spätantike und Frühchristentum (1935-36, Neu-
                           druck Darmstadt 1976).

Hans Blumenberg,   Arbeit am Mythos (1979).

Hellmut Brunner,   Die Geburt des Gottkönigs. Studien zur Ueberliefe-
                           rung eines altägyptischen Mythos, ÆA 10 (1964).

Emma Brunner-Traut,   Pharao und Jesus als Söhne Gottes, Antaios 2
                           (1961) 266-284.

Walter Burkert,   Demaratos, Astrabakos und Herakles. Königsmythos
                           und Politik zur Zeit der Perserkriege, Mus.Helv.
                           22 (1965) 166-177.

                           Mythisches Denken, in: H.Poser (Hg.), Mythos und
                           Philosophie.

	Structure and History in Greek Mythology and Ritual (1979)
Emile Chassinat,	Les mammisis d'Edfou, MIFAO XVI (1939)
François Daumas,	Les mammisis des temples égyptiens (1958)
	Les mammisis de Dendara (1959)
Martin Dibelius,	Jungfrauensohn und Krippenkind, SHAW 1931/32
Herbert W. Fairman,	The Kingship Rituals of Egypt, in: S.H. Hooke (Hg.), Myth, Ritual and Kingship (1958), 74-104.
	The Triumph of Horus. The oldest Play in the World (1974).
Erika Feucht-Putz,	Die königlichen Pektorale. Motive, Sinngehalte und Zweck. Diss. München 1967.
Henri Frankfort,	Kingship and the Gods. A Study of Ancient Near Eastern Religion as the Integration of Society and Nature (1948).
Alan H. Gardiner,	The Chester Beatty Papyri No. 1 (1931).
A. Gayet,	Le temple de Louxor, Mém.Miss. XV (1894).
Hartmund Gese,	natus ex virgine, in: Fs Gerhard von Rad (1971) 73-89.
Manfred Görg,	Gott-König-Reden in Israel und Aegypten, BWANT 105 (1975).
J. Gwyn Griffiths,	The Conflict of Horus and Seth (1960).
	Apocalyptic in the Hellenistic Era, in: D. Hellholm (Hg.), Apocalyptik.
David Hellholm (Hg.),	Die Apokalytik im Mittelmeerraum und im Vorderen Orient (im Druck)
Martin Hengel,	Der Sohn Gottes. Die Entstehung der Christologie und die jüdisch-hellenistische Religionsgeschichte (1975).
Lauri Honko,	The Problem of Defining Myth, in: Harald Biezais (Hg.), The Myth of the State (1972).
Helmuth Jacobsohn,	Die dogmatische Stellung des Königs in der Theologie der alten Aegypter ÆF 8, 1939 (1955).
	Der altägyptische, der christliche und der moderne Mythos, in: Tradition und Gegenwart, Eranos Jb. 1968 (1970), 411-448.
Hermann Junker, Erich Winter	Das Geburtshaus des Tempels der Isis in Phila (1965).

Othmar Keel,	Das Böcklein in der Milch seiner Mutter und Verwandtes. OB 33 (1980)
Geoffrey S. Kirk,	Myth: its Meaning and Functions in Ancient and Other Cultures. (1970).
Kenneth A. Kitchen,	Ramesside Inscriptions II fasc. 5 (1971).
H.P.L'Orange,	Das Geburtsritual der Pharaonen am römischen Kaiserhof, SymbOsl 21 (1941) 105-116.
Jean Leclant,	Le rôle du lait et de l'allaitement après les textes des pyramides, JNES 10 (1951) 123-127.
	Sur un contrepoids de menat au nom de Taharqa. Allaitement et "apparition" royale, Mél. Mar. (1961) 251-284.
Claude Lévi-Strauss,	Mythos und Bedeutung. Vorträge (1980).
Reinhold Merkelbach,	Die Quellen des griechischen Alexanderromans Zetemata 9 (^{2}1977).
Siegfried Morenz,	Die Geburt des ägyptischen Gottkönigs, FuF 40 (1966) 366-371.
Alexandre Moret,	Du caractère religieux de la royauté pharaonique (1902).
Hans Wolfgang Müller,	Isis mit dem Horuskinde, Münchner Jb. der bildenden Kunst 14 (1963) 7-38.
Maria Münster,	Untersuchungen zur Göttin Isis, MÆS 11 (1968).
Eduard Norden,	Die Geburt des Kindes. Geschichte einer religiösen Idee (1924.1969).
Eberhard Otto,	Die biographischen Inschriften der ägyptischen Spätzeit, Leiden 1954.
	Das Verhältnis von Rite und Mythos im Aegyptischen, SHAW 1958.
Georges Posener,	Littérature et politique dans l'Egypte de la XII.e dynastie (1956).
Hans Poser, (Hg.),	Mythos und Philosophie. Ein Kolloquium (1979).
Bertha Porter, Rosalind Moss,	Topographical Bibliography of Ancient Egyptian Texts II (^{2}1972).
Jan Quaegebeur,	Le dieu Egyptien Shai dans la religion et l'onomastique (1975).
Otto Rank,	Der Mythos von der Geburt des Helden (1909).
Serge Sauneron,	Les fêtes religieuses d'Esna aux derniers siècles du paganisme, Esna V (1962).

Kurt Sethe,   Amun und die acht Urgötter von Hermopolis, ABAW 1929.

Wolfgang Schenkel,   Kultmythos und Märtyrerlegende, GOF IV.5 (1977).

Hartmut A. Schlögl,   Der Sonnengott auf der Blüte. Eine ägyptische Kos-
                            mogonie des Neuen Reichs, AH 5 (1977).

                            Der Gott Tatenen, nach Texten und Bildern des Neuen
                            Reichs, OB 29 (1980).

Siegfried Schott,   Ritual und Mythe im altägyptischen Kult, Stud.Gen.
                            8 (1955) 285-293.

Hubertus Tellenbach (Hg.) Das Vaterbild in Mythos und Geschichte (1976).

Jan Zandee,   Le Messie. Conceptions de la royauté dans les
                            religions du Proche-Orient ancien, RHR 180 (1971)
                            3-28.

Nachtrag

Während der Drucklegung erschien

Oleg D. Berlev   The eleventh Dynasty in the Dynastic History of
                           Egypt, in: Studies presented to H.J. Polotsky
                           (1981) 362-377.

Walter Burkert

LITERARISCHE TEXTE UND FUNKTIONALER MYTHOS: ZU IŠTAR UND ATRAḪASIS

An Theorien über 'den Mythos' ist kein Mangel (1); inwieweit sie in weiterer
Forschung sich fruchtbar erweisen, ist eine andere Frage. Innerhalb der einzelnen Philologien herrscht nicht ohne Grund eher eine Haltung vorsichtigen
Abwartens, wenn nicht gar deutlicher Abwehr gegen hochfliegende Verallge-
meinerungen (2). Der Gräzist freilich kann nicht umhin, sich 'dem Mythos'
zu stellen, handelt es sich doch um ein griechisches Wort (3) und einen
griechischen Begriff, die nun allenthalben, von den nächst verwandten Literaturen bis zu den entferntesten ethnologisch erfassten Primitiven verwendet werden, und zwar anscheinend sinnvoll und mit Erfolg. Es muss sich doch
wohl um ein recht allgemeines Phänomen handeln, das im Griechischen modellhaft fassbar geworden ist. Es ist also verständlich, dass auch Gräzisten
immer wieder versucht haben, über 'den Mythos' überhaupt Aussagen zu machen.

In einem kürzlich vorgelegten Versuch wird - im Anschluss an G.S. Kirk -
vorgeschlagen (4), zunächst vom allgemeineren Phänomen der Erzählung auszugehen, wie es die Erzählforschung im Rahmen der Volkskunde seit langem verfolgt: 'Mythos' meint eine noch genauer zu bestimmende Gruppe traditioneller
Erzählungen. Damit wird auch der Rolle der mündlichen Ueberlieferung (5) von
vornherein Rechnung getragen. Ein einzelner Mythos ist demnach nicht identisch mit einem einzigen, bestimmten Text, er ist durch einen solchen nicht
vollständig repräsentiert; es gibt Varianten. Ein Mythos, qua Erzählung,
kann in sehr verschiedenen Texten vorliegen, ausführlich oder kurz, gut oder
schlecht erzählt, auf Andeutung reduziert oder zum Roman ausgeschmückt. Eine
solche Gruppe von Texten steht auch nicht im Verhältnis von einem einzigen
Original zu immer schlechter werdenden Kopien; eine Nacherzählung kann auch
besser sein: es wird nicht kopiert, sondern generiert. Dies trifft sich mit
der Unterscheidung, die Jan Assmann (6) zwischen Mythos als 'Geno-Text' und
'mythischen Aussagen' macht: "'Mythos'... ist etwas Abstraktes: der Kern von
Handlungen und Ereignissen, Helden und Schicksalen, der einer gegebenen
Menge mythischer Aussagen als thematisch Gemeinsames zugrunde liegt". Wir
können uns, wie jeder weiss und erfahren kann, eine Erzählung ohne weiteres
durch einmaliges Anhören 'merken', ohne dass wir einen Text memorieren: wir
erfassen den Handlungskern, von dem aus wir Texte 'generieren' können.

Jenen 'Handlungskern' präzis zu erfassen, ist freilich eine Aufgabe, die im
Prinzip übers Sprachliche hinausführt - Erzählungen sind bekanntlich auch
ohne weiteres übersetzbar -. Es handelt sich offenbar um Bedeutungsstruktu-
ren noch jenseits der einzelsprachlichen Zeichen und ihrer Syntax. Einen
Weg der Beschreibung, der sich weithin bewährt, hat Vladimir Propp in seiner
'Morphologie der Erzählung' (7) gewiesen: eine Erzählung, einschliesslich
der mythischen Erzählungen, ist eine Sequenz von Handlungsschritten; Propp
nannte sie 'Funktionen', Alan Dundes (8) 'Motifeme'. Der Strukturalismus
von Lévi-Strauss (9), der die zeitliche Folge aufbricht und rein logische
Beziehungen zu destillieren sucht, mag hier beiseite bleiben, ebenso die
in die Gegenrichtung zielende Frage, inweiweit gerade die Abfolge der Hand-
lungsschritte in aussersprachlichen, biologischen Programmen vorgegeben ist
(10). Auch die Frage, wieviele grundlegende Erzählsequenzen oder Handlungs-
programme es denn gebe, harrt weiterer Diskussion. Die von Propp behandelte
Sequenz kann man 'die Suche', 'the quest', auch Abenteuer - oder Helden-
pattern nennen; es gibt daneben mindestens auch eine Opfer-Sequenz, aber
seit je auch Erzählungen von List, Betrug, Uebertölpelung.

Mythos definieren, hiesse nun in diesem allgemeinen Rahmen eine Klasse von
Erzählungen eindeutig einzugrenzen. Hierüber allerdings hat sich Einigung
bisher nicht erzielen lassen; offenbar handelt es sich um einen vieldimensio-
nalen Komplex (11), der ganz verschiedene Ebenen der Einteilung zulässt.
Was sich indessen zur Gliederung anbietet, gilt in der Regel nur innerhalb
der einzelnen Kulturen, Sprachen und Literaturen, sei es dass man Gattungen,
Erzählsituation und Erzählstil (12) zu fassen sucht, sei es dass man von
den einzelsprachlich bereitgestellten Termini sich leiten lässt - in unserer
Sprache hiesse dies, 'Mythos' von Sage, Märchen und Legende abzuheben; Griechen haben seit Thukydides zumindest Mythos und Historie zu scheiden unter-
nommen; einige Ethnologen fanden bei den von ihnen untersuchten Stämmen besonders hilfreiche Terminologie (13) -. Am meisten verwendet und gleichsam
als Faustregel durchaus nützlich ist die Definition des Mythos als Erzählung über Götter oder göttliche Wesen (14); sie ist freilich teilweise zir-
kulär, insofern manche göttlichen Wesen ja ihrerseits erst durch den Mythos
konstituiert werden, und sie ist auch offenbar zu eng: ist die Geschichte
von Oedipus kein Mythos? Sehr erfolgreich ist auch die von Pettazzoni und
Eliade geprägte Auffassung des Mythos als Erzählung von den grundlegenden
Ereignissen der Urzeit, 'in illo tempore', geworden (15); indem sei ein in-
haltliches mit einem funktionalen Merkmal koppelt, ist sie freilich noch

weit enger als die zuvor erwähnte. Als viel zu einschränkend hat sich auch
die funktionale Definition der 'myth-and-ritual'-Schule erwiesen, Mythos
sei die auf Ritual bezogene Erzählung oder gar nur die in rituellem Kontext
verwendete Erzählung (16). Mein eigener Versuch zielt daher auf eine Er-
weiterung dieses funktionalen Ansatzes: (17) Mythos als 'angewandte Erzählung', Erzählung als primäre Verbalisierung von überindividuellen, kollektiv
wichtigen Aspekten der erfahrenen Wirklichkeit. In urtümlichen Kulturen sind
Mythen die grundlegende, allgemein akzeptierte, de facto oft die erste und
älteste Mitteilungsform für komplexe Wirklichkeitserfahrung. Mythos hat insofern mindestens zwei Dimensionen, denen die Interpretation nachzugehen
hat, eine 'konnotative' und eine 'denotative': Die Erzählung hat ihre Sinn-
struktur, ja ihren 'Eigensinn', doch wird sie erzählt um ihrer Beziehung
auf die Realität willen, Realität im diesseitigen, handfesten Sinn. Die Be-
zeichnungsfunktion ihrerseits wird vor allem in den im Mythos auftretenden
Eigennamen deutlich, unter denen ja oft echte, realitätsbezogene, hic et
nunc gültige Eigennamen sind; hierzu gehören auch die Götter- und Heroen-
namen, insofern Götter und Heroen auch ausserhalb der Erzählung durch das
Faktum des Kultes, der Opferstätten, Altäre, Grabmäler, Tempel gegeben sind.
Insofern sind Göttererzählungen Mythen, auch wenn der Bereich des Mythos
damit nicht ausgeschöpft ist. Aehnliches gilt von der Beziehung zum Ritual,
nur dass Mythen und Riten eine besonders innige Symbiose eingehen können,
insofern beide auf Handlungsstrukturen zurückführbar sind. In der historischen Entwicklung eines traditionellen Mythos freilich werden die Dimensionen vielschichtig: es gibt eine 'Kristallisation' der Erzählung an sich, es
gibt wechselnde Möglichkeiten der Anwendungen, die sich überlagern; so kommt
es zu Spannungen, Einflüssen, Veränderungen; oft werden Elemente früherer
'Anwendungen' gleichsam als survivals in der Erzählung weitergetragen. Insofern kann man die historische Perspektive nie ausser acht lassen, wenn man
vorliegende mythische Texte voll verstehen will.

Von dieser allgemeinen, vorwiegend aus der Beschäftigung mit griechischen
Mythen gewonnenen Position aus sei nun versucht, zwei akkadische Mythen zu
interpretieren. Dieser Einbruch von aussen wird nicht etwa das neuerdings
eifrig diskutierte Problem der Gattungen der Keilschriftliteraturen fördern
können und erhebt keineswegs den Anspruch, nunmehr eine Gruppe 'sumerischer
Mythen' oder 'akkadischer Mythen' als Textsorten zu bestimmen. Ziel ist lediglich zu zeigen, dass auch akkadische Mythen als 'angewandte Erzählungen'
verständlich werden, wobei vielleicht auch für den Spezialisten einige
neue Aspekte zu gewinnen sind.

1.

Die 'Höllenfahrt' der Ištar ist wohl einer der bekanntesten und eindruck-
vollsten akkadischen Mythen, nicht nur dank dem durch christliche Theologen
verliehenen schaurig-schönen Titel. An der Charakterisierung als Mythos
besteht kein Zweifel, stehen doch im Mittelpunkt der Erzählung zwei der
wichtigsten Gottheiten des mesopotamischen Pantheons, Ištar und Ereškigal.
Auch wie der eine Mythos durch verschiedene Texte repräsentiert ist, lässt
sich fast modellhaft zeigen: die letzte Textausgabe nennt drei akkadische
Rezensionen (18), dazu kommt der weit ältere und längere sumerische Text
(19); es gibt auch 'Zitate' im Gilgameš-Epos und im Mythos 'Nergal und
Ereškigal' (20); inwieweit es sich um rein literarische Abhängigkeiten oder
auch um Einwirkungen mündlichen Erzählens handelt, kann hier nicht untersucht werden.

Was nun die Dimension der Erzählung als Bedeutungsstruktur anlangt, so fügt
diese sich erstaunlich gut in das von Propp entworfene Schema - das doch
auf Grund russischer Zaubermärchen ohne alle Berücksichtigung des Alten
Orients entworfen worden war -. Etwas vereinfacht und verkürzt sei aus
Propp zitiert - wobei nach dessen Prinzipien die Kette der 'Funktionen'
Lücken aufweisen kann, aber keine Umstellungen -:

I.   Ein Familienmitglied verlässt das Haus - Ins Land ohne Wiederkehr
        setzt Ištar ihren Sinn.
IV.   Der Gegenspieler versucht, Erkundigungen einzuziehen - Der Tor-
        wächter berichtet Ereškigal.
V.   Der Gegenspieler erhält Informationen über sein Opfer.
VI.   Der Gegenspieler versucht, sein Opfer zu überlisten.
VII.   Das Opfer fällt auf das Betrugsmanöver herein.
VIII.   Der Gegenspieler fügt einen Schaden oder Verlust zu - Ištar ist
        in der Unterwelt gefangen, das Leben der Welt ist bedroht.
IX.   Ein Unglück wird verkündet; dem Helden wird ein Befehl übermittelt -
        Ea erhält die Nachricht, und er erschafft den assinnu bzw. kuluu;
        in der sumerischen Version sind es kurgarra und kalaturra.
X.   Der Sucher ist bereit.
XI.   Der Held verlässt das Haus; das folgende, eigentlich Hauptteil der
        Abenteuer-Handlung, scheint im Sumerischen verloren, wird im Akka-
        dischen sehr kurz erzählt; dazu gehört
XV.   Der Held wird zum Aufenthaltsort des Gesuchten geführt - die Abge-

sandten fliegen wie Fliegen durch die Tore, schlüpfen wie Eidechsen
unter den Pfosten durch (21).

XVI.   Der Held und sein Gegner messen ihre Kräfte - an Stelle des offenen
Kampfes tritt hier eine Ueberlistung gerade durch die Formen zivili-
sierter Gastfreundschaft (22).

XVII.   Der Held wird gekennzeichnet - Istar spricht ihren Fluch über den
assinnu.

XVIII. Der Gegenspieler wird überwunden.

XIX.   Das gesuchte Objekt wird gewonnen, das anfängliche Unglück wird gut-
gemacht.

XX.   Der Held kehrt zurück.

XXII.   Der Held wird verfolgt.

Im akkadischen Text endet hier der erzählende Teil; im sumerischen folgt
eine lange, nun erst recht dramatische Fortsetzung: es geht um den Ersatz
für Inanna, als der schliesslich dann Dumuzi in die Unterwelt muss; daran
schliesst sich die Suche der Schwester und zuletzt der Ausgleich: 'Du ein
halbes Jahr, deine Schwester ein halbes Jahr'(23). Hier haben wir einen
neuen Helden und eine neue Sequenz um Stolz und Untergang. Die Verbindung
beider Erzählungen dürfte einen kultischen Hintergrund haben, doch ist nichts
davon direkt fassbar (24). Die akkadische Fassung gibt uns das Recht, uns
auf die erste und eigentliche 'Höllenfahrt' zu beschränken. Diese also stellt
sich als ein typisches Exempel der Proppschen 'Quest'-Sequenz dar, Verlust,
Suche, Rückgewinnung. Ein Detail freilich zeigt diese Perspektive, auf das
die bisherigen Interpreten m.W. kaum geachtet haben: der 'Held' der Erzählung ist der assinnu oder kurgarru. Wer möchte diesen outsider, der wie ein
Clochard geschildert wird, gross beachten? Und doch bildet seine Gestalt die
Brücke vom Mythos zur Realität.

Damit ist die zweite Dimension des Mythos angesprochen, die denotative Bedeutsamkeit. Sie ist in diesem Fall, wie gesagt, durch die Götternamen Ištar/
Inanna und Ereškigal, auch Ea, Dumuzi etc. von vornherein gegeben: dies sind
Götter, die in Kulten und Festen und damit überhaupt in der Lebenswirklich-
keit jedem vertraut sind. Die sumerische Fassung endet als Hymnus auf Ereškigal. Verwiesen ist im Text auch ausdrücklich auf den allgemeinsten Gegensatz zwischen der Welt der 'Lebenden' und jener der 'Toten', die doch die
grösseren Heere sind. In der Auseinandersetzung und Ausmarchung dieser exi-
stenziellen Bereiche könnte sich der Sinn des Mythos als Verbalisierung von
Wirklichkeitserfahrung bereits erfüllen. Doch die 'Anwendung' ist vielschich-

tiger und präziser. Der assyrische Text nimmt Bezug auf ein Fest: "am Tag,
wenn Dumuzi heraufkommt, wenn mit ihm die Lapislazuliflöte und der Karneol-
ring zu mir heraufkommt, wenn die klagenden Männer und die klagenden Frauen
zu mir heraufkommen - dann mögen die Toten heraufkommen und den Weihrauch
riechen". Dies sind die Realitäten eines Totenfestes: Weihrauch, Klagechöre,
Flötenmusik. Vermutlich ist das Gedicht bestimmt, an diesem Fest vorgetragen
zu werden; leider scheint dafür bisher kein weiteres Zeugnis gefunden zu
sein. Im Sumerischen fehlt diese 'Anwendung', es bleibt beim allgemeinen
Hymnus: "Dich zu preisen, Ereškigal, ist schön". Die deutlichste denotative
Beziehung aber ist eben mit dem asinnu, kulu'u, kurgarra, kalaturra gegeben;
denn diese merkwürdigen 'Priester' oder 'Tempeldiener' mit Musikinstrumenten,
unterhaltenden Künsten und eigenartigem Zivilstand - "weder Mann noch Frau"
(25) - gab es ja in der aussermythischen Realität. Der Fluch der Ereškigal
in der akkadischen Fassung ist sozusagen der Gründungsmythos für diesen
Stand: auf der Strasse sollst du leben, aus Pfützen Wasser trinken... Die
Diskussion um diese Gestalten scheint sich vor allem darauf konzentriert zu
haben, ob sie nun Eunuchen, Homosexuelle, beides oder keines davon waren.
Doch sind sie immerhin die einzigen, die das Lebensprinzip aus der Unterwelt
zurückholen können. Nimmt man ihren ambivalenten Sexualstatus, ihre Musik-
instrumente und insbesondere dann noch die Rolle des Klagegesangs bei Ereškigal in der sumerischen Fassung dazu, so ist m.E. evident, dass hier die
älteste ausführlichere Bezeugung für den Typ des Schamanen vorliegt, den die
Griechen γόης nannten (26). Ihre Leistung gleicht bis in Einzelheiten der,
die ein Eskimo-Schamane durch den Besuch bei Sedna, der Herrin der Robben,
vollbringt. Dass bei Eskimos auf eine Schamanensitzung ein Maskenumzug fol-
gen kann (27), ist im Hinblick auf die Verbindung der beiden Teile des Inanna-
Mythos besonders merkwürdig. Allerdings hat es in den sumerischen Stadtstaaten
und erst recht in der assyrischen Epoche gewiss keinen ausgebildeten Schamanismus mehr gegeben. Der kurgarra, kulu'u, asinnu war, soweit wir sehen, zu einem bloss unterhaltenden Spassmacher herabgesunken. So erweist sich denn
schliesslich auch die historische Perspektive als notwendig: in der Tradition
des Mythos sind weit ältere Elemente enthalten und mitgetragen; ihr Sinn
kann sich wandeln und geht doch nicht ganz verloren. Auch wenn die Wiederge-
winnung des Lebens nun mit dem Spassmacher verknüpft ist, existenzielle Angst
und entsprechende Erleichterung und Freude bleiben als Hintergrund doch fühl-
bar. Dass die Forderung nach dem Ersatz auch gerade mit der Tierherrin in urtümlichen Kulturen sich verknüpfen liesse (28), sei nur eben noch angedeutet.

2.

Die 'Höllenfahrt' liegt seit 1900 in deutscher Bearbeitung vor; 'Atraḫasis'
oder 'die Geschichte der Menschheit' (29) ist einigermassen vollständig
erst 1969 veröffentlicht worden und als ganzes m.E. in deutscher Uebersetzung
noch gar nicht greifbar. Der Haupttext in 3 Tafeln ist vom Schreiber Ku-Aya
zur Zeit des Ammiṣaduqa im 17. Jh. redigiert. Mehrere Exemplare in verschiedenen Versionen fanden sich aber auch noch in der Bibliothek Assurbanipals.
Eine Tafel, die nur die Sintflutgeschichte enthält, stammt aus Ugarit (30).
Die elfte Tafel des Gilgameš-Epos, die bislang berühmteste Fassung der Flut-
erzählung, erweist sich nun weithin als Entlehnung aus 'Atraḫasis'. 'Atraḫasis' ist also einer der ältesten und weitestverbreiteten und somit wichtigsten Texte der akkadischen Literatur.

Um den Inhalt kurz zu resümieren: Am Anfang, 'als die Götter Menschen waren',
mussten sie selber alle Arbeit verrichten; bald einmal aber rebellierten die
kleineren Götter gegen Enlil, ihren Boss - auch der Streik hat sein mythisches
Vorbild -. Die Lösung des Konflikts ist die Erschaffung des Menschen: "Soll
er das Joch tragen, soll er die Mühe der Götter auf sich nehmen" (31). Aber
bald, nach kaum 1200 Jahren, nehmen die Menschen überhand und werden lästig,
und die Götter, Enlil voran, wollen sie wieder los werden. Drei Versuche unternehmen die Götter, sie senden die Seuche, die Hungersnot und schliesslich
die Sintflut. Aber Enki hat seinen Schützling unter den Menschen, Atram-
hasis 'Herausragend an Weisheit', und er gibt ihm die klugen Ratschläge,
dank denen die Menschheit, Enlil zum Trotz, überleben kann. Am einfachsten
geht es im ersten Akt: Man baut Namtara, dem Pestgott, einen neuen Tempel
und bringt ihm allein ungewöhnliche Opfergaben dar: Namtara ist geschmeichelt,
und die Pest verschwindet. Das zweite Mal wird es schwieriger: zwar lässt, als
Enlil den Regen stoppt, Adad sich zunächst in gleicher Weise dank einem neuen
Tempel gegen Enlil ausspielen, er schickt wenn nicht Regen so doch heimlich
den Nebel und morgendlichen Tau, und die Saat gedeiht. Als dann aber Enlil
die Götter zur Ordnung ruft und alle Bereiche des Kosmos überwacht, geht es
den Menschen schlechter und schlechter, bis sie anfangen, die eigenen Kinder
aufzufressen. Wie Enki doch noch half, ist durch eine grosse Lücke im Text
nicht ganz klar; später, vor der Götterversammlung zur Rechenschaft gezogen,
verteidigt er sich, ihm sei ein Riegel gebrochen und ein Schwarm Fische ent-
kommen; der säumige Wächter sei bereits bestraft (32). Dank den Wassern der
Tiefe also, über die Enki herrscht, und dank seinen Fischen überleben die

Menschen. Jetzt setzt Enlil seine letzte Waffe ein, die Sintflut. Das weitere
ist aus Gilgameš seit langem bekannt: Enki, angeblich ohne seinen Eid zu ver-
letzen, sagt der Schilfhütte Bescheid, Atraḫasis baut sein Schiff und überlebt. Enlil ist wütend: "Wie hat der Mensch die Vernichtung überlebt?" (III
vi 10) - diese seine Frage ist gleichsam das Leitmotiv des Werks. Nun, Enlil
akzeptiert schliesslich das fait accompli; doch werden neue Bestimmungen getroffen: künftig soll es neben fruchtbaren auch unfruchtbare Frauen geben,
soll es den Pasittu-Dämon geben, der kleine Kinder raubt, und Priesterinnen,
die tabu und damit jungfräulich sind; mit einem Wort:'Geburtenbeschränkung'
(33).

Ist dies nun ein Mythos? In welchem Sinn sind diese nun edierten Texte als
mythische Texte zu bezeichnen? Man ist vielleicht versucht zu sagen: dies
ist ein durchdachter, geradezu konstruierter und obendrein recht unfrommer
Text; er wirkt 'aufgeklärt', 'modern'; ein Stück Literatur also, von einem
individuellen Autor selbständig verfasst? Dabei ist der Text, um zu wieder-
holen, älter als 'Gilgameš' und wesentlich älter als 'Enuma eliš', jenes
so oft besprochene Muster einer rituell verwendeten mythologischen Komposition (34). Es gibt offenbar keine einsträngige Entwicklung vom mythischen
Urgrund zur Aufklärung. Und doch: auch unter den Ursprungsmythen gibt es
nicht nur den feierlichen Typ, wie ihn 'Enuma eliš' repräsentiert, mit Drachenkampf und Opferung; es gibt auch, wie vor allem an Hand von Indianermythen auf-
gefallen ist, die Gestalt des 'Tricksters' (35), der alle Tabus bricht und doch
eben so den Menschen hilft, ja gegen die Götter für sie eintritt. Man hat bereits den griechischen Prometheus in diese Typologie eingereiht; der Paralleli-
tät von Prometheus und Atraḫasis wiederum ist Jaqueline Duchemin bereits 1974
nachgegangen; sollte Προμηθεύς der 'Vorbedachte' gar eine Uebersetzung des
Namens Atraḫasis sein (36)? Dies sei hier nicht diskutiert. Soviel aber lässt
sich zunächst feststellen: die auffällig symmetrische äussere Form der Atra-
ḫasis-Erzählung, die Einleitung bis zur Menschenschöpfung, und dann die drei
Akte der Auseinandersetzung, Massnahme und Gegenmassnahme, ist nicht eine Er-
findung der schriftlichen Literatur, sondern eine Form der traditionellen Erzählung, die gerade im Trickster-Bereich zu Hause ist. Auch die Auseinandersetzung von Prometheus und Zeus bei Hesiod, die ja die Menschenschöpfung voraus-
setzt - "als Götter und Menschen sich auseinandersetzten" (37) - hat bekanntlich drei Akte: zuerst die Opferteilung: Prometheus teilt listig, Zeus wählt
scheinbar falsch. Dann der Feuerdiebstahl: Zeus hält das Feuer zurück, Prometheus stiehlt es im Narthex-Stengel. Schliesslich der dritte Zug: Zeus schickt

die Frau, und weil diesmal statt Prometheus Epimetheus an der Reihe ist, stehen schliesslich doch die Menschen betroffen da. Eine ähnliche Dreiteilung hat die so erfolgreiche Geschichte vom Meisterdieb, von Herodots Rhampsinit-Novelle bis zu den Brüdern Grimm (38), sie ist aber überraschend auch in einem andersartigen akkadischen Text aufgetaucht, der gleichsam eine voll säkularisierte Trickster-Erzählung enthält: "Der arme Mann von Nippur' (39). Hier fand man den ältesten Beleg einer längst bekannten Volkserzählung, Aarne-Thompson Nr. 1538 (40): ein armer Mann wird von einem hohen Beamten schlecht behandelt, rächt sich jedoch, indem er dreimal jenen durch List in eine Situation bringt, wo er ihn nach Herzenslust verprügeln kann.

Zurück zu Atrahasis: Für die Dimension der Erzählstruktur ergibt sich, dass hier nun allerdings nicht die Propp-Sequenz vorliegt, wohl aber eine andere Form volkstümlicher, traditioneller Erzählung, die auch ohne weiteres zu merken ist. In diese Gesamtstruktur sind nun - wie es Erzählung und Sprache überhaupt zulässt - zwei Erzähltypen 'eingebettet', die an sich auch selbständig vorkommen, und die auch sonst im Bereich des Mythos produktiv geworden sind: der Schöpfungsmythos, in seiner Opfer-Variante, und der Sintflutmythos. Die potentielle Selbständigkeit beider Stücke ist gerade vom sumerisch-akkadischen Befund aus evident: Wie Enki und die Muttergöttin die Menschen aus Lehm schaffen, um die Götter zu entlasten, ist als eigener sumerischer Text, 'Enki und Ninmah' (41), überliefert; die Menschenschöpfung aus Lehm und dem Blut eines erschlagenen göttlichen Wesens findet sich in einem zweisprachigem sumerisch-akkadischen Text aus Assur (42), im 'Enuma eliš' (VI 1-34), und noch in Berossos (43); merkwürdig weitergebildet wurde die Menschenschöpfung aus den geschlagenen Rebellengöttern, den Titanen, dann in der griechischen Anthropogonie des 'Orpheus' (44). In diesem Mythos scheint ein spekulatives Element, die Frage nach dem, was über die Materie 'Lehm' hinaus den Menschen ausmacht, merkwürdig verschränkt mit dem Ritual des Schlachtens und Hantierens mit Fleisch und Blut; hier wirkt das Paradox des Opfers, dass gerade aus dem Töten Leben entsteht (45). Uebrigens mag man auch im 'Enuma eliš' beobachten, dass dieser Mythos mit dem anderen von Drachenkampf und Kosmosbau nur äusserlich verbunden ist: ohne rechten Zweck und ohne eigene Taten steht Kingu neben Tiamat, bereitgestellt als zweites Opfer für den zweiten Akt. Soviel zur Eigendynamik des Schöpfungsmythos im Einleitungsteil des Atrahasis-Textes.

Die Selbständigkeit des Sintflutmythos ist nicht weniger evident. Da ist die

ältere, sumerische Fassung mit Ziusudra (46), die bekannt geblieben ist bis
Berossos (47); da ist die eine Tafel des Atraḥasis-Textes, die nur das Flut-
Teilstück enthält, in Ugarit (48); da ist die Uebernahme dieses und nur dieses
Teils in 'Gilgameš' XI; und da ist schliesslich die Uebernahme des Sintflutmythos samt Arche ins Buch Genesis wie auch nach Griechenland: Noah und
Deukalion (49). Wann, wo und wie dies übernommen wurde, ist noch dunkel; doch
an der Entlehnung ist nicht zu zweifeln. Was die Erzählform betrifft, mag man
geneigt sein, einen eigenen Typ anzusetzen, die totale Vernichtung im Ver-
sinken als eigentümlich ergreifende Grundvorstellung; genauer besehen geht
es dabei um den Kontrast zwischen dem einen, scheinbar Ausgestossenen und
den vielen, die dem Untergang geweiht sind, und den zweimaligen Umschlag zur
Wiederherstellung der Ordnung auf Erden.

Das Ergebnis der Analyse in der Dimension der Erzählform ist demnach: 'Atrahasis' im ganzen wie in seinen Elementen ordnet sich durchaus der Typologie
der traditionellen Erzählungen ein. Die Varianten konvergieren auch hier auf
Grundstrukturen, die in Texten präsent, doch mit keinem gegebenen Text einfach
identisch sind. Was nun die andere, die denotative Dimension betrifft, Mythos
als Verbalisierung menschlicher Wirklichkeit, so ist diese in dem spekulativen,
umfassenden Inhalt dieser 'Geschichte der Menschheit' von vornherein gegeben.
Dies ist massgebende Aussage über die Situation des Menschen im Verhältnis
zu den Göttern; 'Ueberleben im Verderben' ist das wahrhaft existenzielle
Thema. Im einzelnen gehört zur denotativen Funktion die Nennung der Götter.
So wird gleich zu Anfang das Pantheon systematisch und offenbar massgebend
vorgestellt: "Anu, ihr Vater, ist der König, ihr Berater ist der Recke Enlil,
ihr Minister Ninurta, ihr Deichgraf Ennugi", und es wird kosmisch verankert
in jenen Versen, die so sehr an Verse der homerischen Ilias erinnern: "Die
Götter warfen die Lose, sie teilten: Anu ging hinauf zum Himmel,   Enlil
erhielt die Erde, Enki das Meer..." (50). Auch Namtar als Pestgott, Adad
als Wettergott sind kultische Realitäten; die Opferprozessionen, die Tempel
sind alltägliche Gegenwart. In die Rezeptsammlung eines assyrischen Zauberers
des 8.Jh. ist jener Passus aufgenommen, wie Adad veranlasst wird, heimlich
Nebel und Tau zu senden (51): mag die Anweisung, wie man einen Gott herum-
kriegt, uns und Platon unfromm erscheinen, für den Menschen in Mesopotamien
kommt es auf die praktische Wirkung an. So wird der Atraḥasis-Text zum Muster
und Garanten alltäglicher Praxis und bestätigt sich damit in seiner mythischen
Funktion.

Spezieller sind die denotativen Beziehungen in den eingebetteten Mythen. Der Menschenschöpfungsmythos wurde bereits als besonders eigentümliche Symbiose von Erzählung, Spekulation und Ritual angesprochen. Bezeichnenderweise wurde ein Fragment dieses Passus, das schon 1898 veröffentlicht wurde, zunächst nur in seiner rituellen Funktion und nicht als Teil des Epos erkannt, wird so noch in ANET vorgestellt (52). Denn in der Tat sind hier Elemente der Geburts- magie in den erzählenden Text aufgenommen, und dieser verweist seinerseits explizit auf die so begründete Praxis: "Die Entwürfe der Menschen zeichnete Mami: im Haus der gebärenden Frau soll sieben Tage lang ein Backstein hin- gelegt sein, geehrt werde die Muttergöttin, die weise Mami" (53). Jede Geburt ist eine Wiederholung der ersten Menschenschöpfung; der Mythos erzählt vom Ur- ereignis, auf das in der Realität dann durch magische Zeichen zu verweisen ist. So erscheinen Hinweise auf diese Stelle auch wiederum in Zaubertexten (54). Dabei ist - und dies ist typisch für die Symbiosen von Ritual und Mythos - keineswegs alles explizit und durchsichtig. Warum ein göttliches Wesen sterben muss, wird nicht eigentlich erklärt. Man kann Leben ja nicht eigentlich 'geben', der Begriff der 'Blutmagie' hilft auch nicht weiter, zumal der Atra- hasis-Text gar nicht vom 'Blut', sondern vom 'Fleisch der Götter' spricht (55); was dabei die Bedeutung des Namens des getöteten Gottes ist, We-ila, ist auch nicht eindeutig geklärt. Offensichtlich ist jedenfalls das Ineinan- der von Erzählung, Spekulation und Ritual; und eben dies ist Mythos.

Lockerer ist die denotative Beziehung beim Sintflutmythos, der dafür ja ein- fach aus sich selbst heraus von grandioser Wucht ist. Und doch gibt es auch hier die speziellen 'Anwendungen'. So wird eine explizite Aitiologie gegeben: zur Erinnerung an die Sintflut wird die Göttin Nintu künftig ein 'Fliegen'- Halsband tragen. Diese Stelle ist im 'Atrahasis' - wie im 'Gilgameš'-Text lückenhaft und nicht ganz verständlich; wir wundern uns über die Doppelbe- ziehung: erst trieben die Leichen 'wie Fliegen' in der Flut, dann sammelten sich die Götter 'wie Fliegen' zum Opfer (56). Nur dass damit auf die realen Kultbilder der Muttergöttin Bezug genommen ist, steht wohl fest. Wichtiger erscheint uns die zweite Aitiologie am Schluss: drei Klassen von Priesterin- nen werden eingerichtet, Ugbabtu, Entu, Igisitu, zur Kinderlosigkeit ver- pflichtet (57). Die kultische Institution wird rational und historisch zu- gleich begründet aus dem Mythos. In einer Textlücke bis auf einen kleinen Rest verschwunden, aber vielleicht noch bedeutsamer ist die Szene, die auch bei Utnapištim, Noah und Deukalion grundlegend ist: das erste Opfer nach der Sintflut, das die Beziehungen zwischen Menschen und Göttern neu und dauer-

haft begründet (58). So ist denn auch die Sintflutgeschichte mehr als eine
beliebige Katastrophenstory; sie entwickelt aus dem Gegenbild der Zerstörung
die Normalordnung der Welt. Gerade in dieser begründenden Funktion ist die
Erzählung ein Mythos.

Die Dimensionen der behandelten Texte sind damit keineswegs ausgeschöpft;
und auf die Einzelprobleme ist gar nicht eingegangen. Es sollte nur untersucht werden, was eine aus dem Griechischen gewonnene Bestimmung des 'Mythos'
am scheinbar fernliegenden akkadischen Material erbringt. Die Analyse folgte
den beiden Dimensionen der Bedeutungsstruktur - in der auch das 'Archetypische'
zu suchen wäre - und der realitätsbezogenen 'Anwendung'. Im Mythos zeigt sich
dabei eine traditionelle, doch weder simple noch stumpfe, sondern differenzier-
te und ausbaufähige Form der sprachlichen Realitätsbewältigung. Mythos, als
Erzählung, ist dabei immer anthropomorph und eben darum von allgemeinerem,
'anthropologischem' Interesse.

Anmerkungen

1. Vgl. als repräsentativen Querschnitt Poser (1979), als Ueberblick über die Forschungsgeschichte Burkert (1980).

2. Ein Beispiel: Dörrie (1978)

3. Die falsche Bildung 'die Mythe' (Dornseiff [1950] 89 vergleicht die ebenso falsche Bildung 'die Hymne'), seit J. Görres nachweisbar, erfreut sich bei Aegyptologen und Akkadologen noch einer gewissen Beliebtheit.

4. Burkert (1979a; 1979b); Kirk (1970).

5. Zu dieser Frage im Bereich der Keilschriftliteraturen Alster (1972); Afanasjeva (1974).

6. Assmann (1977) 38.

7. Propp (1928/1975).

8. Dundes (1964).

9. Lévi-Strauss (1958; 1964/71; 1973); vgl. Kirk (1970)42-83; Burkert (1979a) 10-14.

10. Burkert (1979a) 14-18.

11. Jason (1969).

12. Als feinsinnigen Versuch, das europäische Volksmärchen nach seinem Stil zu charakterisieren, vgl. Lüthi (1975; 1976).

13. Malinowski (1954) 101-6; Baumann (1959) 15 f.; vgl. Kirk (1970 20.

14. Fontenrose (1966) 54f.: "traditional tales of the deeds of daimones"; vgl. Reiner (1978) 159; zur Kritik Kirk (1970) 9-12.

15. Eliade (1949); Pettazzoni (1950).

16. Sie geht zurück auf Harrison (1890), vgl. Burkert (1980) 174-7.

17. Burkert (1979a) 22-26, (1979b) 29-38.

18. Borger (1979) I 95-104, II 340-3; vgl. Jensen (1900); zum Schlusspassus v. Soden (1967); Uebersetzung ANET 106-9; Labat (1970) 258-65.

19. Eine definitive Neubearbeitung scheint noch zu fehlen; vgl. Borger (1967/75) II 143 f.; Kramer (1950/51); (1963) 153-5; Falkenstein (1968); Jacobsen (1976) 55-63.

20. Borger (1979) I 95.

21. Jacobsen (1976) 58.

22. Kilmer (1971).

23. Jacobsen (1976) 61.

24. Vgl. Anm. 27.

25. Vgl. CAD A II 341 f. (assinnu), K 529 (kulu'), 557-9 (kurgarru), wo betont wird, dass Eunuchentum und Homosexualität nicht zweifelsfrei bezeugt sind (vgl. Burkert 1979a 105 m. Anm. 32); AHw 75 f. ("Buhlknabe im Kult"), 274, 505, 510; Kilmer (1971) 300.

26. Vgl. Burkert (1962); zur Aufgabe, die essbaren Tiere und damit die Lebensbasis aus dem Jenseits zurückzugewinnen, Burkert (1979a) 88-94; im übrigen sei für Schamanismus auf Hultkrantz (1973) und Siikala (1978) verwiesen. Hermanns (1970) I 23 schreibt zum sumerischen Bereich: "Wir suchen vergeblich nach einem Typ, der dem Schamanen entsprechen würde"; schamanistische Motive fand Hatto (1980) 122 in 'Gilgameš und der Huluppu-Baum' sowie in 'Nergal und Ereškigal', übersah aber die 'Höllenfahrt'.

27. Boas (1907) 138-40.

28. Vgl. Burkert (1979a) 89f. mit Verweis auf Reichel-Dolmatoff (1973) 104-111.

29. Lambert-Millard (1969); v. Soden (1978); 'History of Mankind' betitelt durch Laessøe (1956), zustimmend Kilmer (1972); zur Interpretation Moran (1970); Kilmer (1972), v.Soden (1973). Diskussion um den 1. Vers W.v.Soden Orientalia 38 (1969) 415-32; W.G. Lambert ib. 533-8; v.Soden ib 39 (1970) 311-4. Vgl. auch Reiner (1978) 168f.

30. Ugaritica 5 (1968) 300-304 Nr. 167; Lambert-Millard (1969) 34; 131-3.

31. Lambert-Millard (1969) 54-7 (G ii 10-12).

32. Lambert-Millard 118-121.

33. III vii 9, Lambert-Millard (1969) 102 f.: aladam pursi bringt den wörtlichen Begriff der 'Geburtenkontrolle'; dazu Kilmer (1972), wo auch bereits auf die griechische Parallele, den Anfang des Epos 'Kypria', verwiesen ist (175); v. Soden (1973) 358 widerspricht zugunsten einer eher theologischen Deutung des 'Lärms" der Menschenmassen.

34. Vgl. Hooke (1933), Cornford (1952) 225-49.

35. Radin (1954); Ricketts (1965).

36. Vgl. Duchemin (1974); für die griechische Bedeutung des Namens Prometheus

vgl. V. Schmidt Zeitschrift für Papyrologie und Epigraphik 19 (1975) 182-90.

37. Hes, Theog. 535; für Interpretation und Literatur sei auf West (1966) verwiesen, ferner Vernant (1974); zur novellistischen Erzählform Wehrli (1956).

38. Hdt. 2,121; Kinder- und Hausmärchen Nr. 192, Bolte-Polivka (1918) III 379-406; das entscheidende Zwischenglied ist der 'Dolopathus' im 12. Jh., Historia septem sapientium II ed. A. Hilka, Wiesbaden 1913; Fehling (1977) 89-97.

39. Gurney (1956); vgl. Reiner (1978) 201f.

40. Aarne-Thompson (1964); Gurney (1972).

41. Pettinato (1971) 69-73; Benito (1969) (nicht zugänglich); vgl. Kramer (1961) 68-72, (1963) 149-51; Kilmer (1972) 161,7.

42. Der 'KAR 4-Mythos', Pettinato (1971) 74-81; Heidel (1942) 68-72.

43. Fragmente der griechischen Historiker 680 F 1, p.373 Jacoby; vgl. Maag (1954); speziell zum Atraḫasis-Text Lambert-Millard (1969) 21f.; Moran (1970); Kilmer (1978) 162-6; während I 217 allgemein eṭemmu '(Toten)-Geist' gelesen wird, sucht v.Soden (1973) und (1978) 80f. ein Wort edimmu 'Wildmensch' zu gewinnen.

44. Zu diesem Mythos Linforth (1941) 307-64; Burkert (1977) 442f.

45. Burkert (1972).

46. ANET 42-4; M. Civil bei Lambert-Millard (1969) 138-45.

47. Fragmente der griechischen Historiker 680 F 3, p. 374-7 Jacoby; Lambert-Millard (1969) 134-7; Ziusudra ist Ξίσουθρος transskribiert.

48. Vgl. Anm. 30.

49. Vgl. Der Kleine Pauly I 1498-1500.

50. I 7-16, p. 42f. Lambert-Millard, vgl. p.116 f.; 166f.; Ilias O 187-93.

51. Lambert-Millard (1969) 27f.

52. ANET 99; Berichtigung ANET ^{3}513.

53. Lambert-Millard (1969) 62f. (S iii 14f.), vgl. p.23.

54. Van Dijk (1973) bes. 507.

55. Vgl. Anm. 43.

56. III v 46ff., Lambert-Millard p. 98-101; Gilgameš XI 162-4; Kilmer (1972) 170.

57. Kilmer (1971) 171-3, vgl. Anm. 33. Kinderlosigkeit bedeutet nicht Keuschheit in unserem Sinn, entu ... quinassa ušnak CAD E 325b.

58. Vgl. Rudhardt (1970).

Abkürzungen

AHw   W.v.Soden, Akkadisches Handwörterbuch, Wiesbaden 1965-1981.
ANET   Ancient Near Eastern Texts Relating to the Old Testament ed. J.B.
      Pritchard, Princeton 1955², Supplement = 3rd ed. 1969.
CAD   The Chicago Assyrian Dictionary.

Literatur

A. Aarne, S. Thompson,   The Types of the Folktale, Helsinki 1964³.

V. Afanasjeva,   Mündlich überlieferte Dichtung ('Oral Poetry') und schriftliche Literatur in Mesopotamien, in: Acta Antiqua Academiae Scientiarum Hungaricae 22 (1974) 121-35.

B. Alster,   Dumuzi's Dream, Aspects of Oral Poetry on a Sumerian Myth, Kopenhagen 1972.

J. Assmann,   Die Verborgenheit des Mythos in Aegypten, Göttinger Miszellen 25 (1977) 7-43.

H. Baumann,   Mythos in ethnologischer Sicht, Studium Generale 12 (1959) 1-17.

C. Benito,   Enki and Ninmah and Enki and the World Order, Diss. Univ. of Pennsylvania 1969.

F. Boas,   The Eskimo of Baffin Land and Hudson Bay, Bulletin of the American Museum of Natural History 15, 1907.

J. Bolte, G. Polivka,   Anmerkungen zu den Kinder- und Hausmärchen der Brüder Grimm III, Leipzig 1918.

R. Borger,   Handbuch der Keilschriftliteratur I-III, Berlin 1967/75. -, Babylonisch-Assyrische Lesestücke I/II, Rom 1979².

W. Burkert,   ΓΟΗΣ , Zum griechischen 'Schamanismus', Rheinisches Museum 105 (1962) 36-55.

Ders.,   Homo necans, Interpretationen zu altgriechischen Opferriten und Mythen, Berlin 1972.

Ders.,   Griechische Religion der archaischen und klassischen Epoche, Stuttgart 1977.

Ders.,   Structure and History in Greek Mythology and Ritual, Berkeley 1979 (= 1979a).

Ders.,   Mythisches Denken, in: Poser (1979) 16-39 (1979b).

Ders.,   Griechische Mythologie und die Geistesgeschichte der Moderne, in: Entretiens de la Fondation Hardt 26: Les Etudes Classiques aux XIXe et XXe Siècles, Vandoeuvres-Genève 1980, 159-99.

F.M. Cornford,	Principium Sapientiae, Cambridge 1952.
H.Dörrie,	Sinn und Funktion des Mythos in der griechischen und der römischen Dichtung, Opladen 1978.
F. Dornseiff,	Die griechischen Wörter im Deutschen, Berlin 1950.
J. Duchemin,	Prométhée, Histoire du mythe de ses origines orientales à ses incarnations modernes, Paris 1974.
A.G. Dundes,	The Morphology of North American Indian Folktales, Helsinki 1964.
M. Eliade,	Le Mythe de l'éternel retour, Paris 1949 - Der Mythos der ewigen Wiederkehr, Düsseldorf 1953 - Kosmos und Geschichte, Hamburg 1966.
A. Falkenstein,	Der sumerische und der akkadische Mythus von Inannas Gang zur Unterwelt, Festschrift W. Caskel. Leiden 1968, 97-110.
D. Fehling,	Amor und Psyche, Abh. Ak. Mainz 1977,9.
J. Fontenrose,	The Ritual Theory of Myth, Berkeley 1966.
O.R. Gurney,	The Sultantepe Tablets V: The Tale of the Poor Man of Nippur, Anatolian Studies 6 (1956) 145-64.
Ders.,	The Tale of the Poor Man of Nippur and its Folktale Parallels, Anatolian Studies 22 (1972) 149-58.
J.E. Harrison,	Mythology and Monuments of Ancient Athens, London 1890.
A.T. Hatto,	Essays on Medieval German and Other Poetry, Cambridge 1980.
A. Heidel,	The Babylonian Genesis, Chicago 1942.
M. Hermanns,	Schamanen- Pseudoschamanen: Erlöser und Heilbringer, Wiesbaden 1970.
S.H. Hooke,	Myth and Ritual, Oxford 1933.
A. Hultkrantz	A Definition of Shamanism, Temenos 9 (1973) 25-37.
Th. Jacobsen,	The Treasures of Darkness, A History of Mesopotamian Religion, New Haven 1976.
H. Jason,	A Multidimensional Approach to Oral Literature, Current Anthropology 1969, 413-20.
P. Jensen,	Istar's Höllenfahrt, in: Assyrisch-Babylonische Mythen, Keilinschriftliche Bibliothek VI 1, Berlin 1900.

A.D. Kilmer,	How was Queen Ereshkigal tricked? Ugarit-Forschungen 3 (1971) 299-309.
Dies.,	The Mesopotamian Concept of Overpopulation and its Solution as Reflected in Mythology, Orientalia 41 (1972) 160-77.
G.S. Kirk,	Myth, Its Meaning and Functions in Ancient and Other Cultures, Berkeley 1970.
S.N. Kramer,	Inanna's Descent to the Netherworld Continued and Revised, Journal of Cuneiform Studies 4 (1950) 199-214; 5 (1951) 1-17.
Ders.,	Sumerian Mythology, New York 1961[2].
Ders.,	The Sumerians, Chicago 1963.
R. Labat,	Les religions du proche-orient asiatique, Paris 1970.
J. Laessøe,	The Atrahasis Epic, A Babylonian History of Mankind, Bibliotheca Orientalis 13 (1956) 90-102.
C. Lévi-Strauss,	Anthropologie structurale, Paris 1958.
Ders.,	Mythologiques I-IV, Paris 1964/71.
Ders.,	Anthropologie structurale deux, Paris 1973.
I.M. Linforth,	The Arts of Orpheus, Berkeley 1941.
M. Lüthi,	Das europäische Volksmärchen, München 1976[5].
Ders.,	Das Volksmärchen als Dichtung, Düsseldorf 1975.
V. Maag,	Sumerische und babylonische Mythen von der Erschaffung des Menschen, Asiatische Studien 8 (1954) 85-106 = Kultur, Kulturkontakt und Religion, Göttingen 1980, 38-59.
B. Malinowski,	Myth in Primitive Psychology, New York 1926 = Magic, Science and Religion, New York 1954, 93-148.
W.L. Moran,	The Creation of Man in Atrahasis I, 192-248, Bulletin of the American Schools of Oriental Research 200 (1970) 48-56.
R. Pettazzoni,	Die Wahrheit des Mythos, Paideuma 4 (1950) 1-10.
G. Pettinato,	Das altorientalische Menschenbild und die sumerischen und akkadischen Schöpfungsmythen, Abhandlungen der Ak. Heidelberg 1971, 1.
H. Poser (Hg.),	Philosophie und Mythos, Ein Kolloquium, Berlin 1979.
V. Propp,	Morfologija skaski, Leningrad 1928 - Morphologie des Märchens, München 1975[2].

P. Radin,K. Kerényi,   Der göttliche Schelm, Zürich 1954.
C.G. Jung,

P. Radin,   The Trickster, London 1956.

D. Reichel-Dolmatoff,   Desana, Le symbolisme universelle des Indiens
                           Tukano de Vaupés, Paris 1973.

E. Reiner,   Akkadische Literatur, in W. Röllig (Hg.), Altorien-
                           talische Literaturen, Neues Handbuch der Literatur-
                           wissenschaft I, Darmstadt 1978.

M.L. Ricketts,   The North American Indian Trickster, History of
                           Religion 5 (1965) 327-50.

J. Rudhardt,   Les mythes grecs relatifs à l'instauration du sacri-
                           fice: les rôles corrélatifs de Prométhée et de son
                           fils Deukalion, Museum Helveticum 27 (1970) 1-15.

A.L. Siikala,   The Rite Technique of the Siberian Shaman, Helsinki
                           1978.

W.v. Soden,   Kleine Beiträge, Zeitschrift für Assyriologie 58
                           (1967) 189-95.

Ders.,   Der Mensch bescheidet sich nicht, Ueberlegungen
                           zu Schöpfungserzählungen in Babylonien und Israel,
                           in: Symbolae biblicae et mesopotamicae F.M.Th. de
                           Liagre Böhl dedicatae, Leiden 1973, 349-58.

Ders.,   Die erste Tafel des altbabylonischen Atramhasis-
                           Mythus, 'Haupttext' und Parallelversionen, Zeit-
                           schrift für Assyriologie 68 (1978) 50-94.

J. van Dijk,   Une incantation accompagnant la naissance de
                           l'homme, Orientalia 42 (1973) 502-7.

J.P. Vernant,   Le mythe prométhéen chez Hésiode, in: Mythe et
                           société en grèce ancienne, Paris 1974, 177-94.

F. Wehrli,   Hesiods Prometheus, in: Navicula Chiloniensis
                           (Festschrift F. Jacoby), Leiden 1956, 30-6 =
                           Theoria und Humanitas, Zürich 1972, 50-55.

M.L. West,   Hesiod Theogony, Oxford 1966.

Fritz Stolz

FUNKTIONEN UND BEDEUTUNGSBEREICHE DES UGARITISCHEN BAᶜALSMYTHOS

I

Die Forschung an den ugaritischen Texten, welche durch die Bezeichnung lbᶜl
- "zu Baᶜal gehörig" - benannt sind (1), hat nie gezögert, diese als "Mythos"
zu klassifizieren. Diese Nomenklatur stand jedoch im Einzelfall unter verschiedenen Vorzeichen - je nachdem konnte ein weiterer Mythosbegriff (etwa
wenn als Parallelbezeichnung ohne weitere Erläuterung "Epos" verwendet wurde
(2) oder ein engerer, der an einer bestimmten Mythostheorie orientiert
war (3)),im Spiele sein. Jedenfalls ist die Diskussion um die Interpretation
der Baᶜals-Texte nie zentral an der Frage des Mythischen entbrannt. So erscheint es nützlich, zunächst einfach vorauszusetzen, dass die Bezeichnung
"Mythos" für das Textkorpus sinnvoll ist, dann die hauptsächlich diskutier-
ten Probleme zu sichten und zum Schluss nach den Konsequenzen für eine Beschreibung des Mythischen überhaupt zu fragen.

Die Interpretation des ugaritischen Baᶜalsmythos ist durch die Unsicherheiten
hinsichtlich der Uebersetzung und hinsichtlich des Textumfangs sowie der
Textordnung sehr erschwert. Der erstgenannte der beiden Problemkomplexe wirft
Fragen auf, die oft nicht nur den Sinn einer einzelnen Stelle betreffen,
sondern auf das Gesamtverständnis des Mythos einwirken; erst recht hängt der
zweitgenannte unmittelbar mit der Interpretation des Mythos als ganzem zusammen. Handelt es sich bei KTU 1.1-6 um einen zusammenhängenden Text, oder
finden sich hier Fragmente verschiedener selbständiger Mythen, welche inhaltliche Querverbindungen aufweisen? Und wenn schon ein Gesamtzusammenhang vor-
ausgesetzt wird: In welcher Reihenfolge sind die einzelnen erhaltenen Text-
fragmente, bei denen Anfang oder Schluss häufig nicht unversehrt erhalten
sind, zu lesen?

Es ist nicht möglich, diese Fragen hier ausführlich zu diskutieren. Ich
gehe davon aus, dass KTU 1.1-6 tatsächlich zusammengehört, d.h. dass in einem Textkomplex vom Konflikt Baᶜals einerseits mit Mot und andererseits mit
Jamm die Rede ist. Dabei ist in der Anordnung von 1.1-3 keine eindeutige
Entscheidung zu treffen; die Textlücken sind gross, die Konstruktion des

Zusammenhangs ist auf Vermutungen angewiesen und lässt sich in verschiedener einigermassen sinnvoll erscheinender Weise vornehmen. Die nachfolgenden Ueberlegungen zur Interpretation des Mythos versuchen, diesen Unsicherheiten Rechnung zu tragen (4).

Zusammenfassung des Geschehens (5): Der Text setzt ein mit der Schilderung eines Mahls, in dessen Mittelpunkt Ba'al steht; offensichtlich ist er im Besitz seiner Herrschaft (KTU 1.3,A). Unmittelbar darauf wird ᶜAnat als Kriegsgöttin dargestellt, die menschliche Feinde niedermetzelt, zunächst ausserhalb, dann innerhalb ihres Tempels (B). Baᶜal schickt seiner Schwester ᶜAnat nun eine Botschaft, in welcher vom Heil, das seine Herrschaft beinhaltet, die Rede ist (C,D); doch fehlt zur Vollkommenheit der Herrschaft noch ein Palast für Baᶜal, was zur Klage Anlass gibt. ᶜAnat will sich bei El dafür einsetzen, dass dem abgeholfen wird und trägt dem Göttervater und der Götterversammlung die Bitte vor (E). Die Reaktion ist leider undeutlich; jedenfalls ergeht ein Auftrag an den göttlichen Baumeister (F). In einer weiteren Versammlung der Götter erscheint nun aber nicht Baᶜal als der von El bevorzugte göttliche Herrscher, sondern Jamm (1.1). Jamm wird von den Göttern anerkannt, Baᶜal zur Unterwerfung aufgefordert, und der göttliche Handwerker erhält den Auftrag, diesem Gott einen Palast zu bauen. Baᶜal jedoch sucht den Kampf und überwindet seinen Gegner (1.2). So steht dem Königtum Baᶜals nichts mehr im Wege - er erhält auch seinen Palast. Schliesslich fordert er einen anderen Gott, Mot, heraus (1.4). Doch nun kehren sich die Machtverhältnisse um: Baᶜal muss sich Mot ergeben und in seinen Schlund hinabsteigen; so stirbt er, von den Göttern betrauert (1.5). Den verwaisten Thron versucht ᶜAṭṭar einzunehmen, doch ist er ihm nicht gewachsen. Die trauernde ᶜAnat sucht Baᶜal, stösst dabei auf Mot und erschlägt diesen. Baᶜal erwacht zu neuem Leben. Schliesslich, nach einer Zeit von sieben Jahren, setzt sich Baᶜal endgültig durch (1.6).

II

Natürlich sind die Fragestellungen zur Interpretation des ugaritischen Baᶜalsmythos nicht nur aus den Texten selbst entwickelt. Sie haben sich im Kontext einerseits der altorientalischen Kultliteratur, andererseits des Alten Testamentes ergeben.

Der Vergleich des Baᶜalsmythos mit anderen Texten des Alten Orients, insbesondere mit dem babylonischen Neujahrsmythos enūma eliš, steht unter dem

Zeichen der Frage nach einem gemeinsamen rituellen Muster, das den Texten ihre Struktur geben soll. Sehr bald nach ihrer Entdeckung gerieten die ugaritischen Texte in den Sog der kultvergleichenden Betrachtung, welche im Kult verschiedenster altorientalischer Bereiche eine gleichartige Verarbeitung des jährlich wiederkehrenden Naturgeschehens zu entdecken suchte: Das Drama der Auseinandersetzung zwischen den Mächten der Natur, die den Kreislauf des Jahres bestimmen, verdichtet sich zum Kultdrama (6). Die Interpretation des Ba^{c}alsmythos ist von vornherein durch dieses Verstehensmodell beeinflusst, auch wenn sie in kritischer Abgrenzung oder Modifikation Stellung bezieht.

Der Interpretationszugang vom Alten Testament her ist - insbesondere im Bereich der deutschsprachigen Forschung - durch die Feststellung bestimmt, dass das AT die mythische Redeform im Sinne einer Erzählung von göttlichem Handeln, die sich nicht unmittelbar im menschlichen Bereich abspielt, weitgehend eliminiert hat (7). Es ist auffällig, dass die alttestamentlichen Stellen, die an Vorgänge des Ba^{c}als-Mythos erinnern (also z.B. Chaoskampf-Thematik beinhalten), ihren Ort nicht innerhalb einer Erzählung haben, sondern im Rahmen von Gebeten unterschiedlicher Gattung (8). Der Mythos hat - so eine häufige Deutung dieses Vorgangs - seine eigenständige Funktion verloren, seine Elemente haben lediglich illustrierende Funktion; er stellt Bilder bereit, derer sich der alttestamentliche Text bedient (9).

Beide skizzierten Interpretationszugänge - der von der Hypothese eines postulierten "cultic pattern" wie der vom Alten Testament aus - weisen dem Ba^{c}alsmythos von vorneherein ganz bestimmte Funktionen und Bedeutungsbereiche zu: Es soll sich um einen Naturmythos handeln, das in ihm zu Wort kommende Geschehen regelt dementsprechend die Verhältnissetzung der die Natur bestimmenden Mächte. Seine Zeitstruktur ist zyklisch: In jährlichem Rhythmus kommt er in einem kultischen Fest zum Vortrag, und das von ihm aktualisierte Geschehen ereignet sich genauso im jährlichen Wechsel. Demgegenüber betont die alttestamentliche Exegese gerne das ganz anders strukturierte Wirklichkeitsverständnis der alttestamentlichen Sagenwelt, Geschichtsschreibung und sogar Kultliteratur: Dieses sei an geschichtlichen Abläufen orientiert; das göttliche Handeln, von dem es berichtet, wäre dann also in der Kontingenz, nicht in der Regelmässigkeit natürlichen Geschehens angesiedelt (10).

Innerhalb dieses Kontextes sind nun die spezifischen Interpretationen des Ba^{c}alsmythos zu sehen. Wie konkretisiert sich nun die Problematik dieser Interpretationen? Ich will versuchen, einige Schwerpunkte zu nennen.

In jüngerer Zeit hat J.C. de Moor eine in ihrer Geschlossenheit eindrucks-
volle Gesamtdeutung des Ba'alsmythos gegeben (11). Sie bewegt sich ganz in
der Bahn, welche durch die Frage nach der Analogie zwischen jahreszeitlichem
Naturverlauf und Verlauf des mythischen Geschehens bestimmt ist. Zwei Vor-
aussetzungen sind zu beobachten: Einerseits sind die im Mythos agierenden
Götter nichts anderes als gestalt- und persongewordene Mächte der Natur.
Und zum anderen: Der Mythos ist eng mit einem Ritual verbunden. So wird er
denn als Natur- und Kultmythos bezeichnet (12).

Freilich erkennt de Moor einen gewissen Unterschied zwischen den erschlosse-
nen rituellen Begehungen und der sprachlichen Gestalt, in welcher diese sich
widerspiegeln. Der Mythos bildet einen geschlossenen literarischen Zusammenhang, der seinen Ort im Ablauf eines bestimmten Festes, des Neujahrsfestes,
hat. Die Wirklichkeit, welche der Mythos repräsentiert, umfasst aber das
ganze Jahr, und die Riten, welche diesen Jahreslauf strukturieren, sind an
wichtigen Punkten im Verlauf des Jahres angesiedelt. Mythos und Ritus sind
also nicht gleichartige Repräsentanten des zyklischen Dramas. De Moor bleibt
bei dieser Beobachtung stehen, ohne sie aber weiter zu beachten (13). Es
bleibt also bei der problemlosen Zuordnung von Mythos und Ritus, obwohl die
Arbeit am Text eigentlich schon darüber hinausführt.

Die Konzeption de Moors und seiner vielen Vorgänger, welche die Texte in
analoger Weise deuten, wurde in zweierlei Hinsicht in Frage gestellt. Zum
einen hat man versucht, die unterschiedliche Struktur von Mythos und Ritus
näher zu bestimmen und die Distanz zwischen diesen Phänomenen zu beschreiben.
In dieser Richtung hat H.Gese gesucht (14). Er hält zwar daran fest, dass
der Kreislauf der Natur den Hintergrund des Mythos bildet (15), darüber hinaus
rechnet er sogar mit einem kultischen Sitz im Leben: Der Mythos hat seinen
Ort im Rahmen des Neujahrsfestes (16). Aber gleichzeitig stellt er fest,
dass sich der Mythos vom Ritus abgelöst habe (17). Gese kommt zum Schluss:
"Wir müssen also daran festhalten, dass das Epos nicht einen jahreszeitlichen
Ablauf schildert, sondern die Geschichte Ba'als erzählt." (18)

Was ist das Ziel dieser Erzählung? Gese äussert sich an dieser Stelle nicht
direkt; an einer anderen Stelle redet er aber von einem "Verkündigungs-
charakter" der Komposition, deren Ziel "die Beteiligung des Menschen an den

im Mythos ausgesagten Ordnungen und Vorgängen" sei (19).

Es ist deutlich, dass Gese und de Moor ihre Folgerungen von mindestens teilweise gleichartigen Beobachtungen aus ziehen: Der Baalsmythos ist keineswegs ein "Libretto" zu einem rituellen Vorgang. De Moor vermutet, dass der
Mythos die gesamten rituellen Vorgänge eines Jahres gewissermassen summiert
- und Gese geht noch einen Schritt weiter: Die Aussage des Mythos greift über
die jahreszeitlichen Ereignisse hinaus und entfernt sich davon. Wie diese
Entfernung jedoch zu interpretieren ist, wird bei Gese nicht klar. Die grund-
sätzliche Frage, die hier deutlich wird, ist die nach den Eigenarten und Leistungen von Mythos und Ritus. An dieser Stelle werden erste weiterführende
Klärungen nötig sein.

Die Konzeption de Moors und seiner Vorgänger wird noch an einer anderen
Stelle in Frage gestellt. Besonders Gordon hat bestritten, dass dem Menschen
des Alten Orients ein derart dualistisches Naturerleben eigen sei, wie dies
bei einer Interpretation des Baalszyklus als eines Naturmythos vorauszusetzen wäre (20). Das Jahr zerfalle nicht in jahreszeitliche Komponenten,
die einerseits dem Leben, andererseits dem Tode zugewandt seien. Von zentra-
ler Bedeutung sei vielmehr, ob sich der natürliche Zyklus der Jahreszeiten
bewähre, oder ob er irgend einer Störung ausgesetzt sei. Als Grundgegen-
sätze stehen sich in der Sicht Gordons gelungene und misslungene Jahre
gegenüber (21); die im Mythos agierenden Götter sind einerseits solche die
für, andererseits solche die gegen die Ordnung des Lebens streiten (22).

De Moor hat versucht, Gordons Einwände durch eine präzisere meteorologische
Beschreibung der im Mythos verarbeiteten Naturphänomene zu entkräften -
aber dies ist ihm kaum durchwegs gelungen. Eine Grundfrage, welche sich der
Naturmythos-Interpretation gegenüber stellt, ist die, ob die Macht, die ein
Baal, ein Jamm oder ein Mot verkörpern, sich in Komponenten der Natur erschöpft, oder aber, welche weiteren Dimensionen der Lebenserfahrung in ihnen
präsent sind.

Dabei ist mit zu bedenken, dass die Götter, die im Mythos erscheinen, auch
ausserhalb dieses Mythos ihren Ort haben. Nun ist es immer wieder aufgefal-
len, dass die Rollen einzelner Götter nicht eindeutig fixiert sind (23); in
verschiedenen religiösen Erfahrungsbereichen begegnen sie je etwas anders.
Besonders deutlich lassen sich solche Verschiebungen im Bereich der Göttinnen

Ugarits zeigen (24). Zweierlei Fragen sind in diesem Zusammenhang zu stellen:
- In welchem Umfang bringen Götter ihre gesamte Wesensfülle in den Mythos ein?
Welche Wirklichkeitsaspekte der Götter sind präsent und werden in die mythi-
sche Ordnungssetzung einbezogen? - Umgekehrt: In welcher Weise entwickelt der
Mythos als <u>Erzählung</u> eine Eigendynamik, die sich vergleichen lässt mit der
Dynamik von Erzählungen, die gar keine Berührungspunkte mit dem Kult auf-
weisen? Wie wirkt diese Eigendynamik des Erzählens zurück auf das Funktions-
gefüge, in welchem die Götter ihren Ort haben?

Erst von der Beantwortung dieser Fragen aus werden dann die Konturen der Wirklichkeit, die der Mythos betrifft und regelt, deutlicher werden.

III

Wenn man als Komponenten des Kultus, also des menschlichen Umgangs mit den
ihn umgebenden und seine Welt bestimmenden göttlichen Mächte, Mythos und
Ritus nennt, so ist dies eine sehr unpräzise und unvollständige Beschreibung.
Bereits die Griechen redeten genauer davon, dass ein Kultvorgang bestimmt sei
durch <u>dromena</u>, <u>deiknymena</u> und <u>legomena</u>, also durch Elemente des Tuns, des
Zeigens und des Sprechens (25). Zusätzlich wäre mindestens noch das Element
der Musik zu nennen. Die Intention eines Kultvorgangs wird auf diesen verschiedenen Ebenen zur Darstellung gebracht, und grundsätzlich wären diese
Ebenen zunächst für sich zu analysieren.

Die Darstellungsebene des Handelns umfasst alles, was an Bewegung, Gebärde,
Gestus usw. vollzogen wird; also etwa die Berührung, welche Macht überträgt;
das Kampfspiel, welches ein Kräftemessen und -ordnen beinhaltet, der Umgang,
welcher ein Gebiet einer göttlichen Macht erschliesst usw.

Zur Darstellungsweise des Bildlichen gehören natürlich nicht nur Götterbilder,
die in ihrer genau regulierten Ikonographie mannigfache Aussagen beinhalten,
sondern auch die Elemente der Raumstrukturierung, angefangen bei der Konstruktion des Heiligtums mit seinen Symbolismen bis hin zur Geographie, die
in den Kult einbezogen ist.

Die Darstellungsebene der Sprache ist ihrerseits vielfach gegliedert. In der
Regel meint man mit "Mythos" nur die Erzählung; aber neben die Erzählung

treten andere, "besprechende" Redeformen (26) wie Hymnus, Klage usw.

Die musikalische Darstellung des Kultgeschehens schliesslich spielt sicher immer eine grössere oder geringere Rolle; gerade im Bereich der antiken Religionen aber ist es ausserordentlich schwierig, darüber auch nur Vermutungen anzustellen (27).

Die verschiedenen Ebenen der kultischen Darstellung haben je ihre Eigenheiten, deren Beschreibung zunächst ein psychologisches Problem darstellt, denn die handlungsmässige, bildliche und sprachliche Repräsentation der Wirklichkeit ist ja nicht nur auf den Bereich des Kultischen beschränkt (28). Einige Hinweise müssen in diesem Zusammenhang genügen. Der handlungsmässige Umgang mit der Umwelt ist gewiss der elementarste; er ist starr, unumkehrbar, auf die unmittelbar umgebende Umwelt bezogen. Die bildhafte Darstellung vermag einen viel weiteren Raum mit einzubeziehen; die kosmologische Symbolik von heiligen Räumen etwa repräsentiert häufig die Welt insgesamt (jedenfalls, soweit sie für die betreffende Kultgemeinschaft relevant ist), sie zeigt diese Welt in einer bestimmten überschaubaren Ordnung. Die sprachliche Darstellung schliesslich vermag nicht nur in der Dimension des Raums über die unmittelbare Umgebung, sondern auch in der Dimension der Zeit über die unmittelbare Gegenwart hinauszugehen. In der Erzählung wird ein ganzer Ablauf vergegenwärtigt, die Klage vermag die Abwesenheit des helfenden Gottes zur Sprache bringen usw.

So sehr also die Eigenheiten der verschiedenen kultischen Darstellungsformen zu betonen sind, so ist andererseits doch festzuhalten, dass sie natürlich mannigfach verschränkt sind. Am auffälligsten ist dies vielleicht bei den Darstellungsformen von Handlung und Musik - sie äussern sich, verschränkt, im Tanz, der in vielen Kulturen die dominierende kultische Darstellungsweise abgibt. Aber auch Sprache und Handlung sind miteinander verschränkt, wenn etwa die Klage von Gesten der Selbstminderung u.ä. begleitet wird.

Soll also das Problem "Mythos und Ritus" im Hinblick auf den Baalsmythos in dieser Weise differenziert angegangen werden, so stellt sich konkret die Frage: Welche Elemente handlungsmässiger, bildlicher und allenfalls musikalischer Darstellung sind in welcher Weise mit der sprachlichen Form der Erzählung verknüpft? Dabei ist von vorneherein zu erwarten, dass nicht nur eine Möglichkeit der Verknüpfung realisiert ist.

Bei dieser Fragestellung ist freilich zu bedenken, dass zur Beantwortung
eine Menge von Informationen fehlen. Wohl sind aus Ugarit Texte erhalten,
welche sich unmittelbar auf rituelle Handlungen beziehen, u.a. sogar Aus-
schnitte aus Ritualkalendern (29). Einzelne mythische Texte enthalten Hinweise auf Handlungen, die im Zusammenhang damit zu vollziehen sind (30).
Aber der Baalsmythos ist an keiner Stelle unmittelbar mit derartigen Anga-
ben in Zusammenhang zu bringen.

Vielmehr ist man bei dieser Komposition auf die (mit vielen Ungewissheiten
behaftete) Methode angewiesen, aus Vorgängen der Erzählung und Handlungen,
deren Verlauf von anderwärts bekannt ist, einen Zusammenhang zwischen Mythos
und ritueller Handlung zu erschliessen. Immerhin wird man dies als legitimes
Verfahren anerkennen müssen. So sei jetzt versucht, an zwei Beispielen exemplarisch den Zusammenhang von verschiedenen Ebenen kultischer Darstellung zu
untersuchen.

a) KTU 1.6, III, 26ff: Der Text handelt vom Geschick Mots. Die Forschung ist
   sich weithin einig, dass sich im Text ein Ernteritus widerspiegelt:
   "Ein Tag, Tage gingen vorüber,
   aus den Tagen wurden Monate.
   Das Mädchen ʿAnat suchte nach ihm (sc.Baʿal)
   so wie das Herz der Kuh nach ihrem Kalb,
   wie das Herz des Mutterschafes nach ihrem Lamm,
   so richtete sich das Herz ʿAnats nach Baʿal.
   Sie packte den Sohn Els, Mot,
   mit dem Messer spaltete sie ihn,
   mit dem Sieb worfelte sie ihn,
   mit dem Feuer verbrannte sie ihn,
   mit den Mahlsteinen mahlte sie ihn,
   auf das Feld säte sie ihn aus,
   Die Vögel frassen sein Fleisch,
   die Geflügelten (?) verzehrten seine Glieder..."
(Der Text bricht dann ab; die nächste Kolumne redet davon, dass Baʿal wieder
zum Leben erwacht und entsprechend auch die Natur wieder neu belebt wird.)

Der Umgang ʿAnats mit Mot entspricht dem Umgang des Menschen mit dem reifen
Korn: Es wird geschnitten, geworfelt, geröstet, gemahlen. Dieser Vorgang
gehört zum ganz normalen Lebensablauf, er bildet ein notwendiges Element

der Nahrunqsbeschaffunq und hat zunächst keine kultische Funktion.

Nun ist es aber deutlich, dass dieser normale Vorgang auch kultisch begangen wird. Die grundlegenden Lebensabläufe werden in einen Zusammenhang mit den das Leben bestimmenden göttlichen Kräften gebracht und gelangen in diesem Zusammenhang zur handlungsmässig-rituellen Darstellung. Die erste und die letzte Garbe werden, repräsentativ für die ganze Ernte, einer Kulthandlung zugeordnet (31). Gewiss sind diese Riten auch mit sprachlichen Elementen, etwa Dankgebeten an die am Geschehen beteiligte Gottheit oder deutenden Formulierungen, versehen.

Auffällig ist an dieser Stelle des Mythos, dass das Geschick Mots in derselben Weise dargestellt wird, wie es dem Geschick des Kornes entspricht. Der Gott wird getötet - aber aus diesem Tod wird Leben für die Menschen und entwickelt sich gleichzeitig neues Leben der Feldfrucht (32). Es handelt sich hierbei um eine sog. Dema-Gottheit, einen Gottestyp, der in vielen Bereichen der Menschheit beobachtet werden kann (33). Die Erfahrung, die hier verarbeitet wird, ist die, dass das Leben nur aus dem Tod entstehen kann; Tod und Leben sind komplementäre, einander bedingende Grössen. Und da dieser komplementäre Zusammenhang eine göttliche Gegebenheit ist, ist es der Gott selbst, der den Tod erleidet und damit das Leben ermöglicht.

Innerhalb des Ba'alsmythos freilich ist dieses handlungsmässig strukturierte Ritual in einen neuen Kontext hineingenommen. Zunächst ist es nicht mehr der Mensch, welcher den Gott tötet, sondern ein göttliches Mädchen, 'Anat. Und die Tötung ist in einen umfassenden Ereigniszusammenhang hineinverwoben: 'Anat ist die Geliebte Ba'als, der von Mot gefressen worden war. In ihrer Suche nach dem verschwundenen Freund kommt es zum Mord an Mot; es handelt sich also um eine Rache.

Besonders deutlich wird diese erzählerische Intention am Schluss des wiedergegebenen Abschnittes, wenn davon die Rede ist, dass die Vögel das Fleisch des Getöteten fressen. Es scheint mir unwahrscheinlich, dass hier noch ein Element der rituellen Handlung hinter der Schilderung des Mythos steht (obwohl natürlich die Vögel einen Teil der Saat fressen - aber dies ist kaum sinnhaftes Element des rituellen Handelns). Vielmehr geht es hier darum, dass man dem Feinde wünscht, von Vögeln gefressen zu werden bzw. den Freund davor schützt (34).

Damit zeigt sich: Das handlungsmässige Ritual ist im Mythos aufgenommen; aber es ist in einen neuen, umfassenderen Kontext gestellt. Es hat seine ursprüngliche Bedeutung gewiss nicht einfach verloren, aber es ist in seiner Bedeutung durch den neuen Kontext bereichert worden, damit auch mehrdeutiger und nicht mehr auf eine bestimmt abgrenzbare Situation hin bezogen.

b) KTU 1.3: Ein Kultmahl

"...

Dann bediente Rdmn Baᶜl, den Starken,

er machte die Aufwartung dem Fürsten, dem Herrn der Erde.

Er erhob sich, bereitete zu und gab ihm zu essen,

zerlegte ein Bruststück vor ihm,

mit gesalzenem Messer schnitt er ein fettes Stück ab.

Er stand auf, bereitete zu und gab ihm zu trinken,

er gab ihm den Becher in seine Hände

den Pokal in seine beiden Hände,

den mächtigen Humpen, gewaltig anzusehen, vor dem der Mann erschauert,

den heiligen Becher, den keine Frau sehen darf,

den Pokal, den keine Göttin erblicken darf.

Er nahm tausend kd schäumenden Weines

zehntausend mischte er in seinem Mischtrank.

Er erhob sich, trug Gedichte vor und sang,

dieweil die Zimbeln in der Hand des Kultdieners waren.

Der junge Mann sang mit guter Stimme

vor Baᶜl auf den Höhen des Sapon."

Dass im ugaritischen Kult das Mahl mit reichlichem Weingenuss eine wichtige Rolle spielt, ist im Aqht-Epos gut belegt. Dort ist davon die Rede, dass der König bis zur Trunkenheit im Hause Baᶜls zecht und dann von seinem Sohn nach Hause getragen wird (35). Auffälligerweise findet sich eine weitere parallele Schilderung in einem Mythos, der von Els Ergehen im Rahmen eines Göttergelages erzählt (36); hier freilich ist es der Götterkönig El, der sich bei einem Göttergelage bis zum Uebermass betrunken hat und daraufhin von seinem Diener nach Hause getragen werden muss (37). Bereits diese beiden Texte zeigen also eine Entsprechung zwischen der Vorstellung vom Mahl der Götter und vom Kultmahl des Menschen; dem Verhalten des Götterkönigs entspricht das Verhalten des menschlichen Königs. So wird man vermuten dürfen, dass auch in dieser Darstellung vom Mahl Baᶜls sich das Kultmahl, in welchem wohl der König in Analogie zu Baᶜl agiert, widerspiegelt (38). Von diesem Mahl sind offenbar die Frauen ausgeschlossen - und entsprechend haben auch die Göttinnen keinen Zutritt, so wichtig ihre Rolle sonst innnerhalb des Mythos ist (39).

Der gewaltige Becher mit seinem unermesslichen Inhalt schäumenden Weines ist gewiss mit einem rituellen Vorgang im Zusammenhang mit der Weinernte zu sehen: Die Gärung des Weines und der Genuss der vergorenen Saftes erfolgt wiederum nicht einfach im "profanen" Rahmen, sondern eingebunden in den Umgang mit den göttlichen Kräften, mit denen es der Mensch zu tun hat (40).

Innerhalb des Festmahles, der kultischen Handlung also, hat auch die Musik ihren Platz. Und ein junger Mann, der mit kultischen Aufgaben betraut ist, besingt Baal. Da der Text sehr wahrscheinlich im Rahmen des ugaritischen Herbst- und Neujahrsfestes seinen Ort hatte (41), ist die nächstliegende Deutung des Passus die, dass die Schilderung auf die Rezitation des Baals-Mythos bezogen ist. Dann wäre also die kultische Verwendung des Mythos innerhalb der Erzählung selbst zur Sprache gebracht. Natürlich gibt es aber auch andere Interpretationsmöglichkeiten dieser Stelle, es könnte z.B. an Gotteslob gedacht sein, welches nicht die Form der Erzählung hat (42).

Der Kultakt geht gewiss im Baals-Heiligtum von Ugarit vonstatten; Baal selbst aber hat seinen Wohnsitz (gleichzeitig!) auf dem heiligen Berg Sapon. So kommt hier also auch ein Stück der heiligen Geographie, und damit ein Element bildhafter Aeusserungsweise des Kultus zum Vorschein: Sapon und Baals-Heiligtum in Ugarit werden einander zugeordnet (43). Spielt später im Mythos das Thema des Hausbaus für Baal eine wichtige Rolle, so ist als Ort dieses Hauses der Sapon genannt; gemeint ist aber gewiss auch das Baals-Haus in Ugarit, der Tempel, dessen Bestand erzählend begründet wird (44).

Innerhalb des Baals-Mythos ist das Kultmahl, in welchem der Gott im Mittelpunkt steht, Auftakt zum Geschehen, welches sich nun abspielen soll. Unmittelbar nach der Schilderung des Banketts wird erzählt, wie Baal nach seinen Töchtern schaut; anschliessend klafft eine Lücke, und hernach folgt ein recht anderes Thema, dessen innere Verbindung mit dem Kultmahl nicht offensichtlich ist (45). Deutlich ist aber, dass der Hörer des Mythos zunächst mit einer Szene konfrontiert ist, die seinem eigenen kultischen Handeln unmittelbar entspricht, dass die Erzählung dann aber weiterführt zu anderen Vorgängen.

Die beiden kurz erläuterten Stellen verweisen also deutlich auf ein kulti-

sches Handeln, und es liessen sich auch noch andere Erzählpassagen nennen,
in welchen sprachliche und handlungsmässige Darstellung des Kultus offensichtlich in Beziehung zu setzen sind. Gleichwohl gilt dies natürlich nur für einen
ganz geringen Teil der mythischen Erzählung. Auf weiteste Strecken bestehen
die Erzählvorgänge nach unserer Einsicht ganz unabhängig von rituellen Handlungen.

Entscheidend für das Wesen der mythischen Darstellung ist die Tatsache, dass
die beiden Handlungen, der Umgang mit dem reifen Korn und derjenige mit dem
frisch vergorenen Wein, der im Gelage genossen wird, nicht gleichzeitig statt-
finden. Nach de Moors Kalender findet der erste Anlass im frühen Juni, der
zweite im späten September statt (46). Geht man davon aus, dass wirklich das
Herbst- und Neujahrsfest den Rahmen für den Vortrag des Mythos abgibt, dann
bedeutet dies, dass die eine kultische Handlung tatsächlich als Handlung wie
als sprachliche Darstellung präsent ist, die andere aber nur als sprachliche
Darstellung. Verallgemeinert bedeutet dies: Rituelle Handlungen, die über das
ganze Jahr verteilt geschehen, sind summiert, sie werden präsent im sprachlichen Medium des Mythos. Der komplexe Charakter der sprachlichen Darstellungs-
möglichkeit nimmt die viel elementarere und beschränktere Darstellungsweise
der einzelnen Handlungen in sich auf, und nur an einer Stelle findet sich noch
ein direkter Zusammenhang zwischen den Ereignissen des Mythos und der rituellen Handlung (47).

Damit ist an zwei Stellen das Verhältnis zwischen Erzählabläufen und Handlungs-
abläufen untersucht. Es fehlt hier der Raum, ausführlicher auf einen Zusammenhang zwischen erzählender und (im weitesten Sinne) bildlicher Darstellung des
Kultus zu sprechen zu kommen; als Beispiel böte sich einerseits das Erzähl-
thema des Hausbaus für Baᶜal, andererseits die Tempelbausymbolik im Zusammenhang mit der heiligen Geographie des Sapon-Berges an. Dass Baᶜals-Tempel und
heiliger Berg zusammengehören, wurde bereits erwähnt; dies ist einerseits
durch architektonische Anlagen sichergestellt, andererseits aber auch durch
die Erzählung, welche Züge beider Erscheinungen zu einem einheitlichen Wesen
sprachlich zusammenfügt.

Der Baᶜals-Mythos zeichnet sich insgesamt durch eine hohe Komplexität der verarbeiteten Themen aus. Darin unterscheidet er sich von anderen Kompositionen
wie etwa dem bereits genannten Mythos KTU 1.114. Dort läuft die Geschichte
ganz einlinig auf die Trunkenheit Els zu, und dieses Erzählziel ist ebenso

einlinig mit einer Handlung verknüpft, nämlich der Fertigung einer Mixtur,
welche dem Menschen, der unter einem Kater leidet, gegeben werden muss (48).
Was die Eigenart eines derartigen Mythos mit hohem Komplexitätsgrad ausmacht, wird zu fragen sein, wenn die anderen aufgeworfenen Fragen bedacht
sind.

IV

Bereits im vorhergehenden Abschnitt wurde angedeutet, dass der Mythos verschiedene Aspekte der Welt betrifft. Dem soll nun weiter nachgegangen werden,
und zwar von zwei Fragestellungen her: Wie ist das Wesen der im Mythos agierenden Götter zu bestimmen (natürlich können nur exemplarisch einige Hinweise
gegeben werden)? Und weiter: Welche Sachthemen bestimmen das mythische Geschehen?

a) Die strikt am Naturzyklus orientierte Interpretation sucht jeden Gott mit
einem jahreszeitlichen, womöglich meteorologisch genau bestimmbaren Phänomen
zu identifizieren. Mot ist etwa in de Moors Deutung nichts anderes als die
Personifikation des lebenvernichtenden Schirokko (49).

Nun hat bereits die Szene KTU 1.6, III, 30f. deutlich gemacht, dass Mot keineswegs nur diesen einen Aspekt hat, sondern dass er gleichzeitig den Tod
darstellt, aus dem neues Leben hervorgeht (50). Ausserdem wird in den Texten
als Wohnbereich Mots ein Ort in den Tiefen der Erde angegeben, der durch
Schlamm, Morast und dgl. gekennzeichnet ist (51). Damit ist ein chaotisches
Element angedeutet, denn Schlamm meint das Gestaltlose, der geformten Schöpfung
Entgegengesetzte; damit gerät Mot in die Nähe Jamms (52). Schliesslich ist
an diesem Gott bemerkenswert, dass er sein Maul aufreisst, um Baal zu verschlingen; er ähnelt damit der ägyptischen "Totenfresserin", die beim Toten-
gericht darauf wartet, die der Maat nicht genügenden Toten zu verschlingen
(53).

So ist Mot also eine komplexe Figur - und er agiert in dieser ganzen Komplexität im Mythos. In ihm verkörpert sich der Tod, der das Leben restlos vernich-
tet wie der Tod, aus dem neues Leben entsteht, wobei diese beiden Aspekte sich
im Ablauf des Naturgeschehens manifestieren. Darüber hinaus aber hat er Aspekte des Chaotisch-Ungestalteten (was dem Menschen nicht nur als Element der

Natur, sondern auch der Kultur und - vielleicht sogar in erster Linie - als
Element der Selbsterfahrung begegnet) und eines Ungeheuers, in dem sich seine
Aengste verdichten.

Jamm hat gewiss seinen naturhaften Aspekt, er erscheint im winterlich erreg-
ten, aufgewühlten Meer. Aber darüber hinaus ist er mit einer Chaossymbolik
verbunden, die weit darüber hinaus geht (54). Zu ihm gehören weitere Ungeheuer, darunter ein Untier mit 7 Köpfen, er verkörpert damit - ähnlich wie
das entsprechende Chaoswesen im babylonischen Schöpfungsmythos enūma eliš
- die Mächte, welche sich der Weltordnung insgesamt, in ihrer naturhaften wie
sozialen Dimension (55), entgegenstellen.

Doch dies ist nur die eine Seite Jamms, Es darf nicht vergessen werden, dass
dieser Gott in der Religion Ugarits auch seine positive Seite hat. Er empfängt
Opfer; von besonderer Bedeutung wird er für die Seefahrer gewesen sein, und
aus dem umliegenden phönizischen Bereich ist aus späterer Zeit die Verehrung
einer Jamm entsprechenden Meeresgottheit gut belegt (56). Dass diese positi-
ven Züge im Mythos auch eine Rolle spielen zeigt sich darin, dass Jamm - wie
übrigens auch Mot - ab und zu den Titel "Liebling Els" trägt (57). Beide
Götter zeichnen sich also durch eine gewisse Ambivalenz aus; sie zeigen sich
dem Menschen überwiegend als gefährlich, doch verkörpern sie andererseits
auch Lebensbereiche, auf die der Mensch angewiesen ist. Im Baᶜals-Mythos ist
mit dieser Ambivalenz beider Götter zu rechnen.

Baᶜal schliesslich ist zunächst der im Gewitter erscheinende Gott (58). Damit
ist er für das Wachsen der Vegetation zuständig, und es erscheint folgerich-
tig, wenn die Jahreszeit der Trockenheit und der Dürre als Tod Baᶜals verstanden wird.
Andererseits ist Baᶜal aber auch Herr des Sapon-Berges, auf den der Kult Ugarits ausgerichtet ist, und somit eigentlicher Staatsgott des ugaritischen
Königreiches (59). Auch Baᶜal ist damit eine vielschichtige Gottheit. Er verkörpert die Lebensfülle in mehrfacher Hinsicht: Einerseits als Fruchtbarkeits-
macht der Natur, andererseits als Ordnungsmacht des Staates und Kultherr Ugarits.

Wenn nun der Mythos den Kampf zwischen Baᶜal und Jamm einerseits und zwischen
Baᶜal und Mot andererseits thematisiert, so ist also in vielschichtigster
Weise der Konflikt zwischen den Mächten des Lebens und denen der Lebensgefähr-

dung zur Sprache gebracht; und das Eigenartige ist, dass diese Mächte der
Lebensgefährdung nicht ganz eindeutig in ihrer Negativqualifikation sind,
sondern auch Aspekte der Lebensordnung aufweisen (Mot insofern, als er auch
den lebensschaffenden Tod verkörpert, Jamm insofern, als er nicht nur das
Meer als lebenswidriges sondern auch als lebensförderndes Element darstellt).

Bedeutsam ist ferner, dass der Konflikt Baͨals mit den gegnerischen Kräften
sich nicht einfach innerhalb eines Jahreszyklus abspielt. Ausdrücklich ist
davon die Rede, dass sich der Kampf mit Mot über eine Dauer von sieben Jahren
hinzieht und erst dann mit dem Triumph Baͨals endet (60). Insofern transzen-
diert der Konflikt Baͨals den jahreszeitlichen Wechsel: Das Ringen der Natur-
kräfte, welche den Jahreszyklus bilden, ist in ein viel umfassenderes Aufei-
nandertreffen der im Kosmos wirksamen Kräfte eingegangen. Die Siebenzahl in
der Zeitangabe für den Konflikt steht gewiss - wie in vielen anderen Fällen
- für die Gesamtheit: Die in der Gegenwart überschaubare Zeit ist durch einen Konflikt geprägt, innerhalb dessen insgesamt die durch Baͨal repräsentierten Kräfte des Lebens sich durchsetzen werden.

Dieser Konflikt ist einmal durch die Unterscheidung Kosmos/Chaos geprägt:
Lebenserhaltende und lebensfeindliche Kräfte kämpfen gegeneinander. Doch
spielt - mehr unterschwellig - auch die Unterscheidung von einander ergänzen-
den Gegensätzen eine Rolle: Mot ist in einem gewissen Masse das jahreszeitlich notwendige Gegenüber Baͨals (61). Diese einander überlagernden Konzeptio-
nen machen einen Teil des verwirrenden Charakters des Baͨals-Mythos aus.

Neben dem Charakter der einzelnen Götter ist die Struktur des Pantheons
insgesamt kurz zu untersuchen. Die Stellung des Göttervaters und -königs El
im Baͨals-Mythos ist in der Forschung umstritten (62). Es ist eindeutig, dass
er nicht direkt in den Konflikt der streitenden Götter mit einbezogen ist.
Immerhin hat er Anteil am Geschehen, aber nicht in eindeutiger Weise. Einerseits werden Jamm und Mot "Liebling Els" genannt; Jamm erhält die Baubewilli-
gung für einen Palast anstatt Baͨals (63). Andererseits nimmt El am Tode Baͨals
lebhaften Anteil und trauert mit (64).

Dieses Bild Els hat die unterschiedlichsten Interpretationen gefunden. Auf
der einen Seite sieht man in El eine zu völliger Machtlosigkeit geschwundene
Gottheit, die deutlich mit Zügen der Senilität gezeichnet sei (65). Andererseits wird Els Rolle als die eines überlegenen, die am Konflikt beteiligten

Mächte souverän beherrschenden Gottes beschrieben (66).

Beide Interpretationen scheinen mir überzogen: Els Bild bleibt zweideutig, genau so wie das Bild der am Konflikt beteiligten Götter. Bedeutsam ist aber auf jeden Fall, dass hier eine Gottheit mit auf dem Plan ist, welche ausserhalb des Streites steht, und zwar eine Gottheit der älteren Generation.

Was dies bedeutet, zeigt sich in einem Vergleich mit enūma eliš. Auch dort existieren solche Götter der älteren Generation, die Vorfahren und Vorläufer Marduks. Sie stehen nicht ausserhalb des Streites, sondern werden als erfolglose Chaosbekämpfer dargestellt: Weil es Anu und Enki nicht gelingt, Tiamat zu überwinden, wird der Einsatz des jungen Marduk nötig (67). In enūma eliš ist das Geschehen mit einer eindeutigen Stossrichtung versehen, die agierenden Götter haben einen eindeutigen Charakter, und die Herrschaft ist am Schluss eindeutig in der Hand Marduks konsolidiert. Dem entspricht das Bewusstsein der babylonischen Grossreichsideologie, wonach die ganze Welt sich der Ordnungssetzung des eigenen Staates fügt (68).

Ugarit, der Kleinstaat, der Einflüssen verschiedener Machtzentren unterlag und immer wieder in diese oder jene Abhängigkeit geriet, bildete offensichtlich nicht ein derart geschlossenes Vorstellungssystem aus. Der Mythos, in dem seine Welt zum Ausdruck kommt, zeigt ein weniger eindeutiges Spiel vielgestaltiger Kräfte. Neben dem Staatsgott Baˁal steht der distanziertere El. Baˁals Wohnsitz, der Ṣapon-Berg, hat gewiss kosmologische Qualitäten, bildet also das Orientierungszentrum der Welt Ugarits; aber auch die Wohnstätte Els, die in weiterer Distanz angesiedelt wird, hat Eigenheiten, die sie als Zentrum des Kosmos ausweisen (69). Hier manifestiert sich eine "grössere Welt", die den engeren ugaritischen Staatskosmos umgibt und teils hält, teils gefährdet.

b) Dass der Kreislauf der Natur ein wichtiges Thema des Baˁals-Mythos bildet, ist allgemein anerkannt und wurde ausreichend erörtert. Dass geographische Bezüge ebenso eine Rolle spielen, wurde auch ausgeführt. Zwei Bereiche, welche der Mythos ausserdem betrifft, sind aber noch zu nennen.

Zunächst ist in diesem Zusammenhang auf den Text KTU 1.3 II hinzuweisen. Hier wird ˁAnat als Kriegsgöttin vorgestellt. Es heisst Z.5f.:

"Da! ᶜAnat metzelte hin im Tal,
erschlug die Bewohner der beiden Städte,
machte das Volk der Meeresküste nieder,
erledigte die Menschen des Sonnenaufgangs;
unter ihr lagen Köpfe wie (Erd-)Klumpen,
über ihr türmten sich Hände wie Massen..."

Aus dem weiteren Zusammenhang geht hervor, dass sich die Mordtaten ᶜAnats
nicht nur in der Weite des Landes abspielen, sondern auch (und wohl insbesondere) innerhalb des Heiligtums. Offensichtlich ist damit auf einen rituellen Vorgang angespielt; auch an dieser Stelle findet sich also die Verknüpfung zwischen Erzähl- und Handlungsvorgang (70).

Wichtig ist in diesem Zusammenhang, dass diese historisch-politische Dimension überhaupt in den Blick kommt. Das Wirken ᶜAnats, welche im Baᶜals-Mythos
durchwegs als Mitstreiterin Baᶜals gezeichnet wird, richtet sich auch gegen
die geschichtlichen Mächte, welche Ugarit bedrängen, gegen die feindlichen
Fremdvölker (71).

Die gegen Baᶜal gerichteten Götter vertreten also auch diesen Aspekt lebens-
feindlicher Macht. Gewiss wird in erster Linie Jamm mit derartigen Kräften
in Verbindung gebracht worden sein - die Chaossymbolik in anderen Gebieten
des Alten Orients ist jedenfalls deutlich in diese Dimension ausgestaltet.
Die Kräfte der Natur und die Kräfte der Geschichte werden also in diesem
Mythos in einen Zusammenhang gebracht.

Die Präsenz der historischen Ebene innerhalb des Mythos zeigt sich noch in
einer anderen Weise, und zwar auf dem Gebiet religionsgeschichtlicher Verschiebungen. Drei Beispiele sind besonders deutlich: Wenn Baᶜal häufig "Sohn
Dagans" genannt wird (72), drückt sich darin gewiss die Tatsache aus, dass
er die Funktionen des älteren Gottes übernommen hat (73); Dagan ist in früherer Zeit im nordwestsemitischen Raum eine wichtige Gottheit gewesen (74), er
verkörpert primär die Macht des Getreides, später jedoch wird er durch Hadd-
Baᶜal verdrängt und behält lediglich in der Küstenregion im Süden Palästinas
eine dominierende Funktion (75).

Eine Nebenrolle spielt im Mythos der Gott ᶜAttar. Nach dem Tode Baᶜals wird
er von der Göttermutter Aṯirat als Nachfolger im Herrschertum auf dem Ṣapon-

Berg vorgeschlagen - aber er vermag nicht, den Thron auszufüllen (76). ᶜAttar
war in einer religionsgeschichtlich früheren Epoche zweifellos eine dominierende göttliche Figur gewesen, büsste jedoch zunehmend an Bedeutung ein (bzw.
spezialisierte sich in weiblicher Gestalt für bestimmte Funktionen und Zusammenhänge) (77). Diese Bedeutungseinbusse ist in einer Erzählszene verarbeitet.

Schliesslich ist auch das Nebeneinander Els und Baᶜals in einer bestimmten
religionsgeschichtlichen Tendenz zu lokalisieren: El tritt in seiner Bedeutung immer mehr zurück; im 1. Jahrtausend ist er in weitesten Gebieten des
nordwestsemitischen Raumes völlig zum deus otiosus geworden oder ganz verschwunden (78). Wenn auch die Interpretation Els-Gestalt in den ugaritischen
Texten, die auf das Bild einer bereits gänzlich depotenzierten Figur hinzielt,
überzogen ist, ist doch nicht zu verkennen, dass hier eine Station der Entwicklung Baᶜals zur alles dominierenden Gottheit dokumentiert ist.

Damit ist verdeutlicht, dass der Baᶜals-Mythos in verschiedener Art und Weise
die Dimension des Politisch-Historischen verarbeitet. Es handelt sich keineswegs nur um einen "Naturmythos", sondern um einen "kosmologischen" Mythos;
und zu diesem Kosmos gehört nicht nur die Natur, sondern auch der Bereich von
Geographie und Geschichte.

V

Der Baᶜals-Mythos ist nicht nur durch die rituellen Handlungen und überhaupt
die kosmologischen Beziehungen, welche in ihm verarbeitet sind, bestimmt;
er ist eine Erzählung und hat damit an den Gesetzmässigkeiten analoger
Erzählungen teil (79).

Der Baᶜals-Mythos ist eine Familien-Geschichte: El und Atirat sind Götter-
Eltern, die am Konflikt beteiligten Gestalten sind Angehörige dieser Familie.
An vielen Stellen ist der Mythos offensichtlich nach den typischen Vorgängen
des Konflikts innerhalb der Familie gestaltet; dies sei an einem Beispiel
erläutert. Das Thema des Hausbaus erscheint als Streit zwischen zwei Brüdern,
von denen jeder eine eigene Wohnstätte haben will. Baᶜal beklagt sich darüber,
dass er noch keine eigene Bleibe habe, "wie die anderen Götter" - er fühlt
sich also zurückgesetzt (80). Der Vater wird von beiden umworben, doch kommt

die Entscheidung nicht eigentlich durch seinen Spruch zustande.

Man kann kaum annehmen, dass Jamm einst ein tatsächlicher Rivale Baʿals im Staatskult Ugarits gewesen wäre, so dass tatsächlich Baʿal oder Jamm als Kandidaten für die Herrschaft im Haupttempel zur Auswahl gestanden hätten; eine religionsgeschichtliche Interpretation dieses Mythenzuges ist zwar möglich (81), darf aber nicht dominieren. Vielmehr wird hier eine typisch menschliche Konfliktsituation im Rahmen der Familie in den göttlichen Bereich übertragen.

Bekanntlich haben sich diese Konflikte auch in Familiensagen, wie sie im Alten Testament erhalten sind, niedergeschlagen. Der Konflikt zwischen zwei feindlichen Brüdern ist etwa in der Jakob-Esau-Sage verarbeitet - hier freilich in einer Ausgestaltung zur "Kultursage", welche zwei verschiedene Kulturtypen wertend miteinander vergleicht (82). Offensichtlich spielte die Familiensage eine wichtige Rolle im Hinblick auf die Darstellung von typischen familiären Konfliktsituationen und deren Lösung (83). Wie die alttestamentlichen Beispiele zeigen, besteht eine ursprüngliche Form der Familiensage in der Darstellung eines Einzelkonflikts; neben der Konkurrenz feindlicher Brüder geht es um die Konkurrenz von Frauen, um das Problem der Kinderlosigkeit usw.

Im Baʿalsmythos sind zahlreiche derartige Konfliktsituationen verarbeitet. Die Gestalt Els, des Göttervaters, wäre auch unter diesem Aspekt einer genaueren Untersuchung zu unterziehen. Wenn die jungen Götter, insbesondere ʿAnat, ihm gegenüber anmassend und unverschämt auftreten (84), ist dies wieder nicht primär von einem religionsgeschichtlichen Sachverhalt her zu interpretieren (obwohl derartige Gesichtspunkte mit zu bedenken sind), sondern von der Dynamik der Familienerzählung her: Die Jungen treten mit überzogenen Ansprüchen auf, dringen teils damit durch, teils scheitern sie (85).

Neben der Familiensage spielt gewiss auch die Heldensage als Gestaltungselement des Baʿals-Mythos eine Rolle: Baʿal zieht wie ein menschlicher Held in seinen Kampf, den er schliesslich siegreich beendet (86). Elemente der Liebesgeschichte treten hinzu (wenn es z.B. um die Beziehung zwischen Baʿal und ʿAnat geht) (87).

Es ist selbstverständlich, dass in dem Masse, in welchem derartige Erzähl-

strukturen im Mythos wirksam sind, die Frage nach Beziehungen zu handlungsmässiger und bildhafter kultischer Darstellung zurücktreten muss. Erneut
zeigt sich, dass die verschiedenen Darstellungsebenen des Kultus je ihre
Eigengesetzlichkeit aufweisen; die sprachliche Darstellungsebene greift weit
über die anderen Darstellungsebenen hinaus und ist imstande, sich die ver-
schiedensten Möglichkeiten sprachlicher Wirklichkeitsverarbeitung zu inte-
grieren.

Die Sagenliteratur, welche u.a. im Mythos wirksam wird, hat nicht zuletzt ein
unterhaltendes Moment. Viele Sagen zielen nicht mehr auf unmittelbare Identi-
fikation des Zuhörers mit dem zur Sprache kommenden Geschehen, sondern schaffen eine gewisse Distanz zum Zuhörer und sprechen in erster Linie sein ästhe-
tisches Empfinden an (88). Dies ist besonders dann der Fall, wenn die Erzählung vielschichtiger und komplizierter wird.

Analoges gilt nun ohne Zweifel auch für den Baals-Mythos. Das Auf und Ab im
Geschick des Helden, die vielfältigen Ereigniszusammenhänge und vielschichti-
gen Beziehungen zwischen den Göttern setzt eine distanzierte Betrachtung der
Geschichte frei. Hier geht es - jedenfalls teilweise - nicht um ein kulti-
sches Geschehen, an dem der Mensch unmittelbar beteiligt und vollständig
ergriffen wäre, sondern um Vorgänge, denen man in einiger Entfernung gegen-
übersteht und denen man sowohl Unterhaltung als auch Reflexionsraum abge-
winnen kann (89).

Die vielfältigen Themen, die den Baals-Mythos ausmachen, sind zu einem äusserst komplizierten Erzählgebilde summiert. Entsprechend ist es nicht einfach, die zugrundeliegende Ereignisfolge herauszustellen (was natürlich durch
die Textlücken und Unsicherheiten der Textfolge beträchtlich erschwert wird);
die Zusammenfassung des Mythos, die eingangs gegeben wurde, macht dies deutlich. Die häufig geäusserte Annahme, der Mythos könnte auf ursprünglich ein-
zeln überlieferte Mythen mit beschränkterer Thematik und Intention zurück-
gehen, ist recht wahrscheinlich (90). Der jetzt vorliegende "Grossmythos"
wird wohl ausschliesslich durch professionell-kultische Ueberlieferer getragen worden sein; freilich sind offenbar verschiedene Varianten der Erzählung
vorhanden gewesen (91). Offensichtlich ist also der Baals-Mythos auf einem
hohen Niveau der Erzählkunst und der Reflexion weitergegeben worden, doch
nicht so, dass er in einer einzigen gültigen Fassung immer wieder reprodu-
ziert worden wäre, sondern in produktiven Weiterbildungsprozessen.

VI

Zusammenfassend lässt sich der Baᶜals-Mythos als kosmologischer Mythos mit
einem denkbar weiten Horizont beschreiben: Er spiegelt kultische Handlungen,
welche in jahreszeitlich unterschiedlichen Situationen ihren Ort haben,
wider und ist wohl auch unmittelbar mit einer kultischen Begehung verknüpft;
er bezieht die kultische Geographie, die kultische Bilderwelt der ugaritischen
Religion in seine Darstellung ein; er interpretiert die elementarsten natürlichen, politisch-historischen und einige religionsgeschichtlichen Gegebenheiten; und er verarbeitet alle diese Gegebenheiten in einer komplizierten,
kunstvollen Erzählung, die gleichzeitig Erzählmomente der volkstümlichen
Sagenwelt aufnimmt. So gelangt die Welt Ugarits in einem Zusammenhang zur
Darstellung.

Dieser umfassende Lebenszusammenhang hat seinen Exponenten im Gott Baᶜal, welcher in vielfältigen Konflikten schliesslich zum Triumph über seine Feinde
kommt. Die Lebensordnung Ugarits setzt sich gegen alle Gefährdungen durch;
dies ist die Grundaussage des Baᶜals-Mythos. Der Hörer des Mythos erhält in
der Form der Erzählung von seinem wichtigsten Gott und Garanten des ihn tra-
genden Gemeinwesens eine Darstellung der Kräfte, die sein Leben bestimmen
und garantieren. Der Mythos entwirft das gültige Bild der Welt.

Diese Welt ist äusserst differenziert; die Tatsache, dass der Mythos so viel-
fältige und unterschiedliche Elemente partikularen Umgehens und Erkennens
der Welt gegenüber integriert hat, führt dazu, dass sich keine einlinige Aussage und keine einlinige Intention aus ihm entwickeln lässt. Dies wird besonders daran deutlich, dass Baᶜal, dem Helden des Mythos, alle anderen Kräfte
nicht eindeutig unterworfen sind, sondern dass es teils ein Auf und Ab des
Kräftemessens gibt, und dass schliesslich El gänzlich ausserhalb des Konflikts
angesiedelt ist. Dies nimmt dem Helden die Absolutheit der Herrschaft;
entsprechend wird man für den Hörer eine gewisse Distanz zum mythischen
Geschehen und zur im Mythos zur Sprache kommenden Lebensordnung annehmen
können.

VII

Die Mythenforschung der letzten Jahrzehnte hat es als angezeigt erscheinen

lassen, in der Definition des Mythosbegriffes so weit wie möglich zu bleiben
(92). Grundlegend für den Mythos ist jedenfalls das Moment der Erzählung;
dem Erzählen ist eine bestimmte Ereignisfolge zugeordnet. Gegenstandsbereich
des Erzählens sind die für das Leben einer bestimmten Ethnie bestimmenden
Mächte - also numinose Grössen, Götter u.dgl. Benennt man den Umgang mit
diesen Mächten als "Kultus", so kann man den Myhtos als "kultische Erzählung"
im weitesten Sinne bezeichnen (93).

Wenn man von einer derart breiten Verwendung des Mythosbegriffes ausgeht,
ist es umso wichtiger, die Beschreibung der einzelnen Mythen nun nach gewissen Anhaltspunkten zu ordnen; erst daraus kann eine angemessene vergleichende
Mytheninterpretation entwickelt werden. Ich habe versucht, am Beispiel des
ugaritischen Baᶜalsmythos einige wichtige Ordnungskriterien herauszustellen.

Ein erstes Ordnungskriterium ergibt sich aus der (allenfalls fehlenden) Verbindung zu anderen Weisen kultischer Darstellung. Der Baᶜalsmythos weist zahlreiche Verbindungen zu handlungsmässiger und bildlicher Darstellung des Kultus auf; dies unterscheidet ihn etwa von Mythen, welche keine Beziehung zu
diesen dem unmittelbaren Erleben des Menschen näheren Darstellungsweisen der
Wirklichkeit aufweisen.

Eine zweite Ortsbestimmung ergibt sich aus den Beziehungen zu anderen traditionellen Erzähltypen, etwa der Sage und dem Märchen (also unkultischen
Erzähltypen). Die Analyse des Baᶜalsmythos ergab gewisse thematische Analogien
zu Familiensagen, wie sie im Alten Testament verarbeitet sind.

Andererseits ist nach dem Verhältnis des Mythos zu nicht-erzählenden kultischen Redeformen zu fragen. Dieses Problem wird dann besonders brennend, wenn
der mythische Ereigniszusammenhang selbst nicht als Element erzählenden,
sondern besprechenden Redens erscheint, also z.B. als Motiv des Hymnus, der
Klage usw.

Höchst variabel ist bei den einzelnen Mythen der zur Sprache kommende Wirk-
lichkeitsausschnitt. Der Baᶜalsmythos interpretiert, wie gezeigt wurde, ver-
schiedenste Aspekte der Erfahrung und gibt damit eine Darstellung dessen, was
wir "Welt" insgesamt nennen würden; andere Mythen beschränken sich demgegenüber auf viel beschränktere Lebenszusammenhänge.

Im weiteren sind Mythen hinsichtlich ihres Trägerkreises und ihrer Verwendung zu bestimmen. Der Baalsmythos erwies sich als typisches Produkt professioneller Mythenerzähler bzw. -schreiber; gewiss hat er entsprechend, wie andere gleichartige Kompositionen, seinen Ort nicht nur im Neujahrskult gehabt, sondern auch im Unterricht, wo er als Lese-, Schreib- und Bildungsstoff verwendet worden sein dürfte.

Schliesslich ist ein Mythos zu befragen hinsichtlich der Verbindlichkeit, die er in Bezug auf seine Weltdarstellung beansprucht (94). Gewiss unterscheiden sich hellenistische Fassungen griechischer Mythen, welche an einer von anderen Weisen der Weltbeurteilung weitgehend isolierten Aesthetik orientiert sind, grundlegend von der in Ugarit umfassend gültigen Weltdarstellung des Baalsmythos, wenngleich auch hier bereits an manchen Stellen Elemente einer distanzierenden Betrachtung der Wirklichkeit deutlich werden.

106

Anmerkungen

1. KTU 1.6,I,1

2. So u.a. Eissfeldt, Kl. Schr. II, 489ff., bes. 494ff.; Gese, Religionen Altsyriens, 50ff.

3. Der am präzisesten eingegrenzte Mythosbegriff liegt wohl vor bei Gaster, Thespis, 17, und noch ausführlicher in Numen 1 (1954) 184ff. Mythos ist hier dem Ritual zugeordnet, dessen "idealen und dauernden Aspekt" er sichert. Das Kultdrama insgesamt hat die Funktion, die Lebenswelt der Kultgemeinschaft zu revitalisieren.

4. In der Anordnung der Tafeln folge ich de Moor, Seasonal Pattern. Dabei bleibt die Reihenfolge KTU 1.3 - 1.1 - 1.2 sehr unsicher.

5. Die Wiedergabe beschränkt sich auf den Kern der Vorgänge, wobei insbeson- dere die Ereignisse Erwähnung finden, die in den nachfolgenden Bemerkungen zur Interpretation des Mythos erörtert sind.

6. Das 1933 erschienene Bändchen über "Myth and Ritual", das Signalwirkung für die kultvergleichende Betrachtung der altorientalischen Religionen hatte, berücksichtigte bereits die kurz zuvor entdeckten ugaritischen Texte; vgl. Hooke, Ritual Pattern, 76ff. Zu den geistesgeschichtlichen Hintergründen dieser Betrachtungsweise vgl. Brandon in: Myth, Ritual and Kingship, 261ff.

7. Vgl. z.B. Würthwein in: Zeit und Geschichte, 317ff.; Schmidt, EvTh 27 (1967) 237ff.; Heller, ThLZ 101 (1976) 2ff. - Ausserhalb der deutsch- sprachigen Forschung, insbesondere in Skandinavien, wird der Mythosbegriff im Zusammenhang mit dem AT ganz problemlos verwendet (vgl. etwa den Sam- melband von Otzen, Gottlieb, Jeppesen, Myth in the Old Testament).

8. So ist z.B. Ps 89,10 Element einer Königsklage, Ps 18,14ff steht in einem Königsdanklied, Ps 74,13f. in einer Klage des Volkes, Ps 93,3f. in einem Hymnus. Aus der kultischen Literatur haben dann die mythischen Elemente ihren Weg in weitere (prophetische und apokalyptische) Redeformen gefun- den.

9. So spricht etwa Kraus (Psalmen I, 143) in seiner Auslegung zu Ps 18,5 von "Methaphern der Tiamat-Mythologie".

10. Die Reserve dem Mythos gegenüber in der deutschsprachigen Forschung am AT ist im Rahmen einer umfassenderen theologischen Tendenz zu sehen, welche nach einer grundsätzlichen Unterscheidung zwischen dem biblischen Offen-

barungszusammenhang und den Religionen der biblischen Umwelt (bzw. der Religion überhaupt) trachtet. Vgl. Stolz, das Alte Testament, 94ff.

11. De Moor, Seasonal Pattern. - Vgl. dazu die ausführliche kritische Würdigung durch Grabbe, UF 8 (1976) 57ff.

12. De Moor, Seasonal Pattern 55ff.

13. A.a.O., 248.

14. Gese, Religionen Altsyriens.

15. A.a.O., z.B. 65; 75.

16. A.a.O., 80.

17. A.a.O., 79.

18. Ebd.

19. A.a.O., 50f.

20. Gordon, Literature, 3ff.; ders., Mythology, 183f.; 195.

21. Gordon postuliert auch für diesen Dualismus eine zyklische Erfahrungsstruktur; der Kanaanäer hätte demnach in Rhythmen von "sieben fetten" und "sieben mageren" Jahren gelebt, wozu ihm in Ugarit nicht nur der Baʿalsmythos (vgl. KTU 1.6,V,7ff.) als Beleg dient, sondern auch der Mythos von Šaḥar und Šalim (KTU 1.23,66, vgl. Canaanite Mythology, 190). Der Nachweis einer derart kultisch begangenen Rhythmik ist freilich aus den Textbelegen in keiner Weise zu entnehmen.

22. Gordon verzichtet freilich auf eine Konkretion dieser Erfahrung an Lebensfeindlichkeit, die mit den einzelnen Gegnern Baʿals verknüpft ist; statt dessen verweist er auf Gottheiten Griechenlands und Mesopotamiens, um das Wesen Mots (der mit Nergal parallelisiert wird, Canaanite Mythology 202) und Jamms (dessen Kampf mit Baʿal der Auseinandersetzung Kronos-Zeus entsprechen soll, Canaanite Mythology 191) zu verdeutlichen. - Aehnlich wie Gordon sieht Cassuto im Baʿalsmythos eine Auseinandersetzung zwischen den Mächten des Lebens und des Todes insgesamt; hier werden alle Feinde Baʿals zu Geschöpfen Mots stilisiert (so u.a. in Biblical and Oriental Studies II, 1975, 168ff.).

23. Mit Recht gibt Koch zu bedenken, dass die Götter Ugarits nicht als konstante "Persönlichkeit" mit bestimmtem "Charakter", gleichbleibenden Zügen usw. erscheinen, UF 11 (1979) 473.

24. ⁽Anat spielt im Baʿalsmythos eine überragende, ⁽Attart eine unbedeutende
   Rolle. An einer Stelle erscheinen die beiden Göttinnen wohl in paralle-
   ler Funktion (KTU 1.2,I,40 - der Name ⁽Anats ist nicht gesichert), und
   überhaupt dürften sich beide Göttinnen sehr ähneln, auch wenn sie zu unterscheiden sind (vgl. Kapelrud, The Violent Goddess, 38f.; Helck, Betrachtungen, 149ff.). Während im Baʿals-Mythos auf einen Sieg ⁽Anats über die
   Geschöpfe Jamms hingewiesen wird (KTU 1.3,III,38ff.), erscheint in KTU
   1.92 offensichtlich ⁽Attart als Gegnerin dieses Gottes (vgl. Herrmann,
   MIO 15 (1969) 6ff.). Im Ritual tritt ⁽Attart viel mehr hervor als ⁽Anat,
   ihr Bild ist u.a. Gegenstand einer Prozession (vgl. KTU 1.43; 1,91;
   1.148, dazu de Tarragon, Culte, 98ff.). ⁽Anat und ⁽Attart sind also benachbarte Gestalten, wobei die eine mehr im Bereich des Erzählens, die andere
   mehr im Bereich des Handelns hervortritt; im Laufe der Zeit sind sie ganz
   miteinander verschmolzen (vgl. Gese, Religionen Altsyriens, 157).

25. dromena und deiknymena sind nebeneinander z.B. bei Plutarch, Is.Osir.
   352c genannt, dromena und legomena bei Paus. 1,43,2; 2,38,2 u.ö.

26. Zur Terminologie und dem damit gemeinten sprachlichen Sachverhalt vgl.
   Weinrich, Tempus. Zum Verhältnis Mythos/Hymnus s. Stolz, Strukturen 80ff.

27. Der zentrale Stellenwert der Musik für die Religion Ugarits ist z.B. dadurch deutlich, dass die Leier als Gottheit in einer Pantheonsliste erscheint (KTU 1,47,32).

28. Ich verwende hier Einsichten aus dem Bereich der Psychologie, wie sie
   durch J. Piaget in Gang gesetzt worden ist; vgl. insbes. Bruner, in:
   Kognitive Entwicklung, 21ff.

29. Dazu zuletzt de Tarragon, Culte 17ff.

30. KTU 1.23 (Šaḥar und Šalim) enthält in den 29 Zeilen Anrufungen an die im
   Mythos wirkenden Götter, Ritualanweisungen, Segenswünsche u.ä., die in
   ihrer Funktion schwer durchschaubar sind, weil sie eben auf ein Handeln
   bezogen sind, das uns nicht bekannt ist. Erst dann setzt die Erzählung
   ein.

31. Zur Darbringung der ersten Garbe vgl. Lev 2,14. Dankgebete wie Dtn 26,5a.
   10 (zu dessen ursprünglicher Gestalt vgl. L. Rost, Das kleine geschichtliche Credo, 18) gehören in diesen Zusammenhang. Wie die erste, so ist
   auch die letzte Garbe Gegenstand besonderer religiöser Behandlung; vgl.
   dazu Hvidberg-Hansen, Actor (Lund) 33 (1971) 5ff., bes. 12ff.

32. Diese Deutung der Stelle ist weitgehend anerkannt - vgl. ausser der in
    Anm. 30 genannten Arbeit auch Gese, Religionen Altsyriens, 73; de Moor,
    Seasonal Pattern 212ff. Dagegen ist jedoch auch Einspruch erhoben worden,
    vgl. Cassuto, Biblical and Oriental Studies II, 168ff., bes. 169; Loewen-
    stamm, IEJ 12 (1962) 87f. und Or 41 (1972) 318ff.; Watson, JAOS 92 (1972)
    60ff. Umstritten ist insbesondere, wie die Bedeutung von dr^c in Z.35 zu
    bestimmen ist. Zweifelsohne kann das Verb sowohl "ausstreuen" als auch
    "aussäen" meinen. M.E. ist der Text mehrdeutig: Das rituelle Ausstreuen
    des zuletzt geernteten Korns wird ursprünglich mit dämonologischen Vor-
    stellungen verbunden gewesen sein (der Sache nach wäre der Vorgang mit
    Lev 19,9f.; Dtn 24,19ff. zu vergleichen). Doch ist dieser Text, wie so-
    gleich zu zeigen sein wird, nicht mehr unmittelbar mit dem Ritual ver-
    bunden, so dass sich für den Hörer mit dem Ausdruck dr^c assoziativ auch
    das Ausstreuen der Saat verband.

33. Vgl. Jensen, Mythos und Kult, 103ff. - Auch Osiris gehört zu diesen Göt-
    tern und seine Verwandtschaft mit Mot, wie er an dieser Stelle gezeichnet
    wird, ist schon häufig betont worden, s. z.B. de Moor, Seasonal Pattern
    215.

34. Vgl. Dtn 28,26; 1.Sam 17,44.46; 2.Sam 21,10; Jer 16,4 usw.

35. KTU 1.17,I,30ff. u.ö.; vgl. Eissfeldt, Kl. Schr. IV, 264ff., bes. 269.

36. KTU 1.114; zu Uebersetzung und Interpretation vgl. die Arbeiten von Loe-
    wenstamm, de Moor und Rüger in UF 1 (1969) sowie Pope in Fschr. Stinespring,
    170ff.

37. KTU 1.114,15ff.

38. Zu den Kultmählern vgl. de Tarragon, Culte, 144ff.

39. In KTU 1.114 sind freilich Göttinnen zugegen! Es gab offensichtlich ganz
    unterschiedliche Kultmähler.

40. S. de Moor, Seasonal Pattern 78f.

41. Eine - etwas gewagte - Rekonstruktion des Neujahrsfestes gibt de Moor,
    New Year.

42. Vergleichsweise könnte man auf enūma eliš VI,123ff. hinweisen (die "50
    Namen Marduks").

43. Vgl. Gese, Religionen Altsyriens, 124. Zur mit dem Ṣapon verbundenen
    Symbolik vgl. auch Margulis, ZAW 86 (1974) 1ff.

44. Inwieweit das Herbstfest, innerhalb dessen der Báalsmythos seinen Ort hat, gleichzeitig eigentliches Tempelgründungs- und Tempelweihfest ist, ist nicht ganz deutlich; vgl. de Moor, Seasonal Pattern, 59ff.

45. Es handelt sich um die unten S. 98 erörterte Szene.

46. Vgl. die Uebersicht a.a.O., 245ff.

47. In einigen anderen Texten, die wahrscheinlich mit dem Neujahrsfest zusammenhängen, spielt das Mahl eine Rolle, insbesondere KTU 1.108, wo Rpu und ꜤAnat zum Trinken aufgefordert werden. Besonders interessant ist KTU 1.161. Hier werden die Verstorbenen, die Ahnen des Königs, zum Mahl herbeigerufen. Handelt es sich um dasselbe Mahl wie das, zu welchem der Báalsmythos rezitiert wurde? Dies würde bedeuten, dass ein und dieselbe kultische Handlung mit ganz verschiedenen sprachlich repräsentierten Vorgängen verbunden wäre. Genau so, wie der Mythos verschiedene handlungsmässig-rituelle Vorgänge zu kombinieren vermag, können sich mit einer rituellen Handlung Mythen unterschiedlichen Inhalts verbinden.

48. KTU 1.114, 29ff.

49. "It will be completely clear that the parts of the myth dealing with Môtu, the Ugaritic god of death, describe no other metereological phenomenon than a particular kind of east wind, the so-called sirocco." (Seasonal Pattern 212f.).

50. Dies sieht auch de Moor (a.a.O., 212f.), bedenkt es aber nicht weiter.

51. Vgl. Gese, Religionen Altsyriens, 136; Tromp, Primitive Conceptions, 54ff.

52. Auch in Mesopotamien gelangen Ereškigal, die Göttin der Unterwelt, und Tiamat, die Gestalt des Chaos-Urwassers, zuweilen in eine gewisse Nähe (vgl. den bei Meissner, Babylonien und Assyrien II, 133 genannten Text). Es ist freilich weit übertrieben, wenn man Jamm einfach als Gehilfen Mots auffasst (so Cassuto in verschiedenen Arbeiten, z.B. Biblical and Oriental Studies II, 168ff., bes. 174f.).

53. Vgl. Seeber, Untersuchungen, 163ff. Assoziativ gehört mit dieser fressenden Gestalt die Erde selbst zusammen, die ihre Oberfläche aufreisst, um Menschen u.ä. zu fressen (vgl. im AT Jes 5,14; Num 13,32f.; 16,31f.). So wie die Chaosmacht also als ungeordnete Wassermasse oder gestaltgewordenes Ungeheuer erscheinen kann, so auch die Unterwelt bzw. Erde in ihrer bedrohlichen Form.

54. Vgl. Gese, Religionen Altsyriens, 59ff.

55. Auf den Zusammenhang zwischen diesen beiden Dimensionen hat besonders eindringlich Maag hingewiesen (zuletzt in Kultur, Kulturkontakt und Religion, 329ff.).

56. Vgl. Gese, Religionen Altsyriens, 134f.

57. Beispiele: für Jamm KTU 1.1,IV,20, für Mot KTU 1.5.I,8.

58. Vgl. Gese, Religionen Altsyriens, 119ff.; dazu jüngst Koch, UF 11 (1979) 465ff.

59. Eissfeldt, Kl. Schr. IV, 53ff.

60. KTU 1.6,V,7ff. Die Vertreter einer ausschliesslich am Jahreskreislauf orientierten Interpretation haben versucht, diese Angabe wegzudeuten, so auch de Moor mit der typischen Argumentation, die Zeit der Götter übersteige die Zeit der Menschen (Seasonal Pattern, 33). Die von ihm angeführten Belege, in welchen die Zeit der Menschen um ein Vielfaches verlängert oder verkürzt wird, wären im einzelnen auf ihre Intention hin zu befragen; und an dieser Stelle scheint mir die Aussage gerade dahin zu zielen, dass der Konflikt Baʿal-Mot sich über eine umfassende Zeitdauer (und nicht etwa nur ein Jahr) erstreckt.

61. Vgl. Stolz, Strukturen, 43ff. Die Unterscheidung einander ergänzender Gegensätze spielt in den Religionen des Alten Orients keine fundamentale Rolle (anders als etwa in China, wo Yin und Yang die Grundstruktur der Welt ausmachen).

62. Im Hinblick auf El ist zwischen dem Charakter des Gottes in der Baʿals-Komposition und in anderen Texten - etwa dem Mythos "Šaḥar und Šalim" (KTU 1.23) oder in der Klage KTU 1.65 zu unterscheiden. Zur Geschichte Els und seinen verschiedenen Aspekten in der Religion Ugarits vgl. Stolz, Strukturen, 126ff.

63. KTU 1.2,III.

64. KTU 1.5,VI,3ff.

65. So vor allem Pope, El; er rekonstruiert sogar einen Göttersturz nach Art der hurritischen Ueberlieferung (a.a.O., 102ff). Aehnlich Oldenberg, Conflict.

66. So z.B. Løkkegard, Fschr. Pedersen, 219ff., bes. 232ff.; Maag, Kulturgeschichte, 573f.

67. Enūma eliš I,105ff.

68. Vgl. Stolz, Strukturen, 19ff.

69. Zu den kosmologischen Qualitäten des Sapon-Berges vgl. bereits Anm. 43.
    Auch El wohnt auf dem ḫršn, dem Weltenberg (KTU 1.1,II,23; III,22), und
    zwar "am Ursprung der beiden Ströme, mitten im Bett der beiden Urmeere"
    (so die häufig verwendete sterotype Formel). El ist also mit der Ur-
    wasser-Urberg-Symbolik verbunden, dazu Stolz, a.a.O., 110ff.

70. Umstritten ist freilich, welche rituelle Handlung im Hintergrund der
    Schilderung steht. Werden Feinde verstümmelt (so Kaiser, Bedeutung des
    Meeres, 71, Anm. 289)? Geht es um Kampfspiele (de Moor, Seasonal Pattern
    94f.)? Bringen sich Kultteilnehmer selbst Verletzungen bei (so zuletzt
    Gray, UF 11 [1979] 315ff.)? Auffällig ist die Aehnlichkeit der Dar-
    stellung ʿAnats mit dem Bild des Tretens der Kelter - auch im AT (Jes
    63,1ff.) ist Jahwes Kampf gegen die Völker mit dem Bild des Kelterns
    verbunden (vgl. de Moor ebd.). Ist eventuell auch diese landwirtschaft-
    liche Tätigkeit Bestandteil des Ritus, der zusätzliche Bedeutung als Ver-
    gegenwärtigung des Kampfes der Gottheit gegen unterworfene Feinde erhal-
    ten hätte?

71. Noch an einer anderen Stelle wird diese historische Dimension deutlich:
    Nach KTU 1.4,VII erobert Baʿl feindliche Städte und errichtet damit
    seinen Herrschaftsbereich auf der politischen Ebene. Zum Zusammenhang
    zwischen Chaoskampf und Fremdvölkerkampfmotivik vgl. Stolz, Strukturen,
    72ff.

72. KTU 1.6,I,6.52 usw.

73. So z.B. Gese, Religionen Altsyriens, 107ff.

74. Zu den Belegen, die Gese a.a.O. nennt, kommen nun noch Zeugnisse aus
    Ebla, wo Dagan den ersten Platz einnimmt; vgl. Pettinato, Polytheismus,
    35ff.

75. Dort ist die Verehrung Dagans dann durch die Philister übernommen wor-
    den, wovon das AT zu berichten weiss (vgl. bes. 1 Sam 5).

76. KTU 1.6,I,53ff.

77. Grundlegend dazu J. Gray, JNES 8 (1949) 72ff. Weiteres zur Geschichte
    der ʿAttar-Figur bei Stolz, Strukturen, 182ff.

78. Vgl. Gese, Religionen Altsyriens. Analog ist El in Mesopotamien und Alt-
    südarabien als persönlich ausgegrenzte Göttergestalt verschwunden (vgl.

Stolz, Strukturen, 126ff. Dafür gewinnt Baʿal zunehmend an Gewicht und ist zuletzt als "Himmelsbaʿal" eine universal zuständige Gottheit (vgl. Eissfeldt, Kl.Schr.II, 171ff.).

79. Diese Problematik wurde häufig in der Weise behandelt, dass man von dem "unmittelbar religiös-kultischen Anliegen" einen poetischen Gestaltungs- und Ausmalungsdrang" des Erzählers, "seine Lust am Fabulieren" abhob (so Eissfeldt, Kl.Schr.II, 132,134). Aber auch dieses Erzählen ist natürlich nicht nur durch die Individualität des Erzählers, sondern durch die dafür vorgegebenen Formen bestimmt - wenn auch gewiss in kleinerem Masse als das rituelle Handeln.

80. KTU 1.3,V,3ff.

81. Es wäre zu überlegen, ob eine Konkurrenz zwischen Baʿal und dem anderen Tempelbesitzer Ugarits, Dagan, der vormals wohl der für Ugarit wichtigste Gott gewesen war, im Hintergrund steht (vgl. Stolz, Strukturen, 50f.).

82. Vgl. Maag, Kultur, 99ff., bes. 105.

83. Zu den Familien-Erzählungen im Bereich der Vätergeschichte vgl. Westermann, Forschung am AT 9ff., bes. 36ff. Andernorts deutet Westermann an, dass ursprüngliche Familienerzählungen in Mythen umgesetzt worden seien (z.B. Genesis I/2,46); an dieser Stelle des Baʿalsmythos zeigt sich ein derartiger Zusammenhang.

84. z.B. KTU 1.3,E,28ff.

85. Vgl. das stürmische Auftreten Absaloms gegenüber David 2.Sam 13,24ff.

86. Zu vergleichen ist die Verzweiflung der Götter auf den Machtanspruch Jamms hin (KTU 1.2,I,22ff.) mit dem Auftreten Sauls aus der Mitte verzweifelter Volksgenossen (1.Sam 11,4ff.).

87. Mit der Suche ʿAnats nach ihrem Geliebten, Baʿal (KTU 1.6,II,5ff.), ist z.B. Cant 3,1ff. zu vergleichen.

88. Vgl. bereits Gunkel, Genesis, LIff.

89. Ein Element der Reflexion beobachtet auch Kinet, BZ 22 (1978) 236ff.

90. Vgl. Gordon, Canaanite Mythology, 191.

91. Vgl. De Moor, Seasonal Pattern, 1ff.

92. Vgl. insbesondere Cohen, Man 4 (1969) 337ff.; Kirk, Myth.

93. Von dieser Definition her wären benachbarte Arten des traditionellen

Erzählens abzugrenzen, insbesondere Märchen und Sage.

Dabei ist aber zu bedenken, dass die Uebergänge fliessend sind und sowohl die Definition als auch die Abgrenzungen der verschiedenen Arten traditionellen Erzählens in verschiedenen Kulturen je etwas unterschiedlich zu akzentuieren wären.

94. Hier ist der Sachverhalt anvisiert, den Pettazzoni unter dem Stichwort "Wahrheit des Mythos" beschreibt (Paideuma 4 [1950] 1ff.).

Abkürzungen

nach Die Religion in Geschichte und Gegenwart, 3.Aufl. 1957ff.; dazu KTU =
M.Dietrich/O.Loretz/J.Sanmartin, Die keilalphabetischen Texte aus Ugarit,
Teil 1: Transskription, 1976.

Literatur

Brandon G.F.,	The Myth and Ritual Position Critically Considered, in: Myth, Ritual and Kingship, hg. v. S.H.Hooke, 1958.
Bruner J.S. u.a.,	Studien zur kognitiven Entwicklung, 1971
Cassuto U.,	Ba'al and Mot in the Ugaritic Texts, IEJ 12 (1962) 77-88 = Biblical and Oriental Studies II (1975) 168-177.
Cohen P.S.,	Theories of Myth, Man 4 (1969) 337-353.
Eissfeldt O.,	Ba'alsamem und Jahwe, ZAW 57 (1939) 1-31 = Kl.Schr. II (1963) 171-198.
Ders.,	Ba'al Saphon von Ugarit und Amon von Aegypten, FF 36 (1962) 338-340 = Kl. Schr. IV (1968) 53-57.
Ders.,	Mythus und Sage in den Ras-Schamra-Texten, Beiträge zur Arabistik, Semitistik und Islamwissenschaft (1944) 267-283 = Kl.Schr. II (1963) 489-501.
Ders.,	Religionsdokument und Religionspoesie,Religionstheorie und Religionshistorie, ThBl 17 (1938) 185-197 = Kl. Schr. II (1963) 130-144.
Ders.,	Sohnespflichten im Alten Orient, Syrie 43 (1966) 39-47 = Kl. Schr. IV (1968) 264-270.
Gaster Th.H.,	Myth and Story, Numen 1 (1954) 184-212.
Ders.,	Thespis. Ritual, Myth and Drama in the Ancient Near East, 1961^2.
Gese H.,	Die Religionen Altsyriens, in: H.Gese, M.Höfner, K.Rudolph, Die Religionen Altsyriens, Altarabiens und der Mandäer, 1970.
Gordon C.H.,	Ugaritic Literature, 1949.
Ders.,	Canaanite Mythology, in: Mythologies of the Ancient World, hg. v. S.N. Kramer, 1961, 183-218.
Grabbe L.L.,	The Seasonal Pattern in the Myth of Ba'lu, UF 8 (1976) 57-63.
Gray J.,	The Blood Bath of the Goddess 'Anat in the Ras Shamra Texts, UF 11 (1979) 315-324.

116

Ders.,   The Desert God ʿAttar in the Literature and Religion
                              of Canaan, JNES 8 (1949) 72-83.

Gunkel H.,   Genesis, 1922[5].

Helck W.,   Betrachtungen zur grossen Göttin und den ihr ver-
                              bundenen Gottheiten, 1971.

Heller J.,   Die Entmythisierung des ugaritischen Pantheons im
                              Alten Testament, ThLZ 101 (1976) 1-10.

Herrman W.,   Astart, MIO 15,1 (1969) 6-55.

Hooke S.H.,   Traces of the Myth and Ritual Pattern in Canaan,
                              in: Myth and Ritual, hg. v. S.H. Hooke, 1933, 68-86.

Hvidberg-Hansen O.,   Die Vernichtung des goldenen Kalbes und der ugari-
                              tische Ernteritus, Acta Orientalia (Lund) 33 (1971)
                              5-46.

Jensen A.E.,   Mythos und Kult bei den Naturvölkern, 1960[2].

Kaiser O.,   Die mythische Bedeutung des Meeres in Aegypten,
                              Ugarit und Israel, 1962[2].

Kapelrud A.S.,   Baʿal in the Ras Shamra Texts, 1962.

Ders.,   The Violent Goddess. ʿAnat in the Ras Shamra Texts,
                              1969.

Kinet D.,   Theologische Reflexion im ugaritischen Baʿal-Zyklus,
                              BZ NF 22 (1978) 236-244.

Kirk G.S.,   Myth, its Meaning and Funktions in Ancient and
                              Other Cultures, 1970.

Koch K.,   Zur Entstehung der Baʿal-Verehrung, UF 11 (1979)
                              465-475.

Kraus H.J.,   Psalmen, 1961[2].

Loewenstamm S.,   The Killing of Mot in Ugaritic Myth, Or 41 (1972)
                              378-382.

Ders.,   The Ugaritic Fertility Myth - the Result of a Mis-
                              translation, IEJ 12 (1962) 87f.

Ders.,   Eine lehrhafte ugaritische Trinkburleske, UF 1
                              (1969) 71-78.

Løkkegard F.,   A Plea for El, the Bull, and other Ugaritic Miscel-
                              lanies, Studia orientalia I. Pedersen dicata, 1953,
                              219-235.

Maag V.,   Kosmos, Chaos, Gesellschaft und Recht nach archa-
                              isch-religiösem Verständnis, in: Kultur, Kultur-
                              kontakt und Religion, 1980, 329-341.

Ders.,   Jakob-Esau-Edom, ThZ 13 (1957) 418-429 = Kultur, Kulturkontakt und Religion, 1980, 99-110.

Ders.,   Syrien-Palästina, in: Kulturgeschichte des Alten Orients, hg. v. H. Schmökel, 1961, 448-604.

Margulis B.,   Weltbaum and Weltberg in Ugaritic Literature: Notes and Observations on RS 24.245, ZAW 86 (1974) 1-23.

Meissner B.,   Babylonien und Assyrien, II 1929.

De Moor J.C.,   The Seasonal Pattern in the Ugaritic Myth of Baᶜlu, 1971.

Ders.,   Studies in the New Alphabetic Texts from Ras Shamra, UF 1 (1969) 167-175.

Ders.,   New Year with Canaanites and Israelites, I/II 1972.

Otzen B., Gottlieb H., Jeppesen K.,   Myths in the Old Testament, London 1980.

Oldenburg U.,   The Conflict between El and Baᶜal in Canaanite Religion, 1969.

Pettazzoni R.,   Die Wahrheit des Mythus, Paideuma 4 (1950) 1-9.

Pettinato G.,   Polytheismus und Henotheismus in der Religion von Ebla, in: Monotheismus im Alten Israel und seiner Umwelt, hg. v. O. Keel, 1980, 31-48.

Pope M.H.,   El in the Ugaritic Texts, 1953.

Ders.,   A Divine Banquet at Ugarit, in: The Use of the Old Testament in the New and other Essays, Studies in Honour of W.F. Stinespring, 1972, 170-203.

Rost L.,   Das kleine geschichtliche Credo, in: Das kleine geschichtliche Credo und andere Studien zum Alten Testament, 1965, 11-25.

Rüger H.P.,   Zu RŠ 24.258, UF 1 (1969) 203-206.

Schmidt W.H.,   Mythos im Alten Testament, EvTh 27 (1967) 237-254.

Seeber Ch.,   Untersuchungen zur Darstellung des Totengerichts im alten Aegypten, 1976.

Stolz F.,   Das Alte Testament, 1974.

Ders.,   Strukturen und Figuren im Kult von Jerusalem, 1970.

De Tarragon J.-M.,   Le culte à Ugarit, 1980.

Tromp N.J.,   Primitive Conceptions of Death and the Neather World in the Old Testament, 1969.

118

Watson P.L.,   The Death of 'Death' in the Ugaritic Texts, JAOS 92 (1972) 60-64

Weinrich H.,   Tempus. Besprochene und erzählte Welt, 1971^2.

Westermann C.,   Genesis, 1966ff.

Würthwein E.,   Chaos und Schöpfung im mythischen Denken und in der biblischen Urgeschichte, in: Zeit und Geschichte, Fschr. f. R.Bultmann, 1964, 317-327.

ORBIS BIBLICUS ET ORIENTALIS

Bd. 33 OTHMAR KEEL: *Das Böcklein in der Milch seiner Mutter und Verwandtes.* Im Lichte eines altorientalischen Bildmotivs. 163 Seiten, 141 Abbildungen. 1980.

Bd. 34 PIERRE AUFFRET: *Hymnes d'Egypte et d'Israël.* Etudes de structures littéraires. 316 pages, 1 illustration. 1981.

Bd. 35 ARIE VAN DER KOOIJ: *Die alten Textzeugen des Jesajabuches.* Ein Beitrag zur Textgeschichte des Alten Testaments. 388 Seiten. 1981.

Bd. 36 CARMEL McCARTHY: *The Tiqqune Sopherim and Other Theological Corrections in the Masoretic Text of the Old Testament.* 280 Seiten. 1981.

Bd. 37 BARBARA L. BEGELSBACHER-FISCHER: *Untersuchungen zur Götterwelt des Alten Reiches im Spiegel der Privatgräber der IV. und V. Dynastie.* 336 Seiten. 1981.

Bd. 38 MÉLANGES DOMINIQUE BARTHÉLEMY. Etudes bibliques offertes à l'occasion de son 60e anniversaire. Edités par Pierre Casetti, Othmar Keel et Adrian Schenker. 724 pages. 31 illustrations. 1981.

Bd. 39 ANDRÉ LEMAIRE: *Les écoles et la formation de la Bible dans l'ancien Israël.* 142 pages, 14 illustrations. 1981.

Bd. 40 JOSEPH HENNINGER: *Arabica Sacra.* Aufsätze zur Religionsgeschichte Arabiens und seiner Randgebiete. Contributions à l'histoire religieuse de l'Arabie et de ses régions limitrophes. 347 Seiten. 1981.

Bd. 41 DANIEL VON ALLMEN: *La famille de Dieu.* La symbolique familiale dans le paulinisme. LXVII - 330 pages, 27 planches. 1981.

Bd. 42 ADRIAN SCHENKER: *Der Mächtige im Schmelzofen des Mitleids.* Eine Interpretation von 2 Sam 24. 92 Seiten. 1982.

Bd. 43 PAUL DESELAERS: *Das Buch Tobit.* Studien zu seiner Entstehung, Komposition und Theologie. 532 Seiten + Übersetzung 16 Seiten. 1982.

Bd. 44 PIERRE CASETTI: *Gibt es ein Leben vor dem Tod?* Eine Auslegung von Psalm 49. 315 Seiten. 1982.

Bd. 45 FRANK-LOTHAR HOSSFELD: *Der Dekalog.* Seine späten Fassungen, die originale Komposition und seine Vorstufen. 308 Seiten. 1982.

Bd. 46 ERIK HORNUNG: *Der ägyptische Mythos von der Himmelskuh.* Eine Ätiologie des Unvollkommenen. Unter Mitarbeit von Andreas Brodbeck, Hermann Schlögl und Elisabeth Staehelin und mit einem Beitrag von Gerhard Fecht. XII - 129 Seiten, 10 Abbildungen. 1982.

Bd. 47 PIERRE CHERIX: *Le Concept de Notre Grande Puissance (CG VI, 4).* Texte, remarques philologiques, traduction et notes. XIV - 95 pages. 1982.

Bd. 48 JAN ASSMANN / WALTER BURKERT / FRITZ STOLZ: *Funktionen und Leistungen des Mythos.* Drei altorientalische Beispiele. 118 Seiten. 17 Abbildungen. 1982.